Hoe dump ik een prins?

Over Calypso verschenen ook:

Hoe versier ik een prins?
Hoe verover ik een prins?
Hoe weersta ik een prins?

Tyne O'Connell

Hoe dump ik een prins?

De kronieken van Calypso

BOEK 4

De Fontein

*Voor mijn muzes, Hare Koninklijke Geweldigheid, de stijlvolle
Cordelia O'Connell, en mijn aanbiddelijk slimme Santospirito-zoons
Zad en Kajj, die Italië en Windsor voor mij tot leven brachten.*

www.defonteinkinderboeken.nl
www.calypsochronicles.com

Oorspronkelijke titel: *Dumping Princes*
Verschenen bij Bloomsbury Publishing, Londen, Groot-Brittannië
© 2006 by Tyne O'Connell
Voor deze uitgave:
© 2007 Uitgeverij De Fontein, Baarn
Vertaling: Karin Breuker
Omslagafbeelding: Corbis
Omslagontwerp: Miriam van de Ven
Grafische verzorging: Hans Gordijn

ISBN 978 90 261 2336 8
NUR 283, 284

Niet elke kikker die een kroon draagt,
blijkt een prins te zijn…

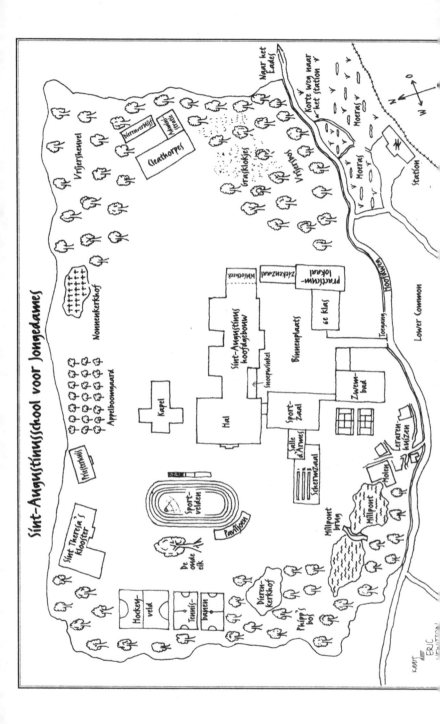

Sint-Augustinusschool voor Jongedames

Te wapen! Amerikanen bestormen het kasteel!

Volgens mijn geliefde ouders overdrijf ik altijd vreselijk. O ja, én ik ben dol op melodrama.

Ze baseren dit op een gebeurtenis in een winkelcentrum in Beverly Centre. Ik was toen drie en het voorval staat sindsdien te boek als 'Het Incident'.

Altijd als mijn ouders willen bewijzen dat ik overdrijf en dol ben op melodrama, komen ze met Het Incident op de proppen. Het schijnt dat er een kerstboom, een zwartkanten onderbroek en een politierapport aan te pas zijn gekomen.

Mijn *padre* zegt er dan meestal iets idioots achteraan, zoals: 'Op een dag ga je echt te ver, Calypso Kelly.' En dan knikt mijn *madre* ernstig met haar hoofd en zegt: 'Nou ja, ik denk dat het zo wel duidelijk is. Laten we het dáár maar niet meer over hebben.'

Mijn maffe ouders, die per se willen dat ik hen Sarah en Bob noem, hebben het overdrijven zo ongeveer uitgevonden, en ze zijn ook niet vies van dramatiek. En als je het hebt over te ver gaan: die grens hebben ze jaren geleden al overschreden toen ze me Calypso noemden en naar een Engelse kostschool stuurden, omdat ik anders 'te Hollywoods' zou worden. Wat dat dan ook mag betekenen.

Nee, Sarah en Bob zijn echt het toppunt van dramatiek. Ze liegen. Ja, serieus, ze vertellen de grootst mogelijke leugens. En dan heb ik het niet alleen over dat zogenaamde Incident in het winkelcentrum, of over de tandenfee. Ze hebben ook tegen me gezegd dat ik het slimste, knapste, meest getalenteerde meisje ben van de wereld. Dat bedoel ik nou. Ze zijn wel lief, maar volkomen geschift.

Hoe dan ook, die dag was ik ont-zet-tend blij, en daar was ook alle reden toe! Ik ging logeren bij Hunne Koninklijke Hoogheden. Maar er was één minpuntje: mijn ouders brachten me ernaartoe en bleven lunchen.

Helemaal niets kon mijn plezier bederven nu ik mijn knappe prins ging bezoeken in zijn Schotse kasteel: dat enorme grijze bouwwerk met zijn sprookjesachtige torentjes, waar de reel wordt gedanst, haggis wordt gegeten, op Schotse korhoenders wordt gejaagd en Schotse dansen als de Gay Gordons de rigueur zijn. Op tv en in de krant zie je de koninklijke familie vaak voor hun kasteel staan. Het is echt geweldig.

Iedereen die eraan twijfelde of onze liefde zou standhouden, kon wat mij betrof de boom in. Het was nog steeds aan met – ja, je gelooft het niet – prins Freddie, en ik zoende regelmatig met hem, tenminste zo vaak als redelijkerwijs mogelijk was. Ik bedoel: troonopvolgers besteden veel tijd aan hun voorbereiding op het koningschap, en dat is saai. Maar ik klaagde nooit. Nee, ik wilde per se niet zo'n trieste vriendin zijn die voortdurend om aandacht liep te vragen. Ik was mijn onafhankelijke, Amerikaanse inslag nog niet kwijt!

Je zou denken dat normale ouders er trots op zouden zijn dat hun dochter iets had met de Britse troonopvolger, maar nee, nee, nee, nee. Dat was veel te redelijk voor mensen als Bob en Sarah. 'Vind je niet dat je een beetje te melodramatisch doet over die relatie met Freddie, Calypso?' zei Bob tegen me, toen we de M1 opreden. 'Ik bedoel, je bent vorige week net vijftien geworden en je doet alsof je al met die jongen gaat trouwen.'

Ik zette mijn iPod harder en begon mee te neuriën met een

ongelofelijk eentonig, deprimerend nummer, dat mijn beste vriendin Star had geschreven. Het heette: *De enige zekerheid in het leven: school is klote.*

Volgens mij had ze het idee voor dat liedje van onze stokoude lerares Bijbelkennis, zuster Bethlehem. Die zanikt er altijd over dat er geen zekerheden zijn in het leven, en dat is een glasharde leugen, want je kunt er honderd procent zeker van zijn dat zuster Bethlehem tijdens de les in slaap sukkelt. Nou zijn er bepaalde boeken in het Oude Testament waar ik ook bij in slaap val. *Leviticus* bijvoorbeeld.

Toch ben ik hartstikke gek op zuster Bethlehem. Ze leert ons allerlei nuttige dingen, bijvoorbeeld hoe je geld kunt verdienen met wedden. Zo kun je erom wedden wie er in de Bijbel Simsons haar heeft afgeknipt.

'Ja, meisjes, daar kun je een aardig bedragje mee in de wacht slepen,' vertelde ze ons eens. 'Veel mensen denken dat het Delila was, maar als ze het Boek der boeken beter zouden lezen, zouden ze weten dat Delila een bediende liet komen om zijn haar af te knippen. Onthou het maar: als je ooit om geld verlegen zit, is dat echt een goeie. Ik heb er twee jaar achter elkaar vijf pond mee gewonnen van pater Conway.'

Maar goed, zekerheden dus. Ik was er absoluut zeker van dat ik nooit, nooit, nooit genoeg zou krijgen van Freddies lippen. Dus daar hoef je geen weddenschap over af te sluiten, die verlies je. Mijn ouders noemen het kalverliefde, maar ja, die zijn dan ook belachelijk oud en ongelofelijk dom.

Freds voelde er eerst niet zo veel voor om me in zijn chique kasteel uit te nodigen. Niet echt vreemd: hij had pas nog meegemaakt hoe gestoord Sarah en Bob kunnen zijn. Maar nadat ik hem een paar overduidelijke hints had gegeven (hoe komt het toch dat jongens een hint nooit begrijpen?) gaf hij zich gewonnen en nodigde hij me uit om een weekend in Harthnoon Castle

9

te komen logeren. Ik denk dat hij eindelijk in de gaten kreeg dat als hij me nog langer bij zijn Kiltland-vakantieoord zou weghouden, ik hondenpoten zou krijgen van het schaamteloze bedelen.

Het was heel onwezenlijk om te worden uitgenodigd voor een logeerpartij bij de koninklijke familie. Zoals iedereen had ik gezien hoe Freds en zijn familie zich regelmatig in hun maffe kilts voor Harthnoon Castle opstelden voor de fotografen. Maar net als ieder ander meisje dat kwijlde bij het zien van die leuke prins, had ik in mijn stoutste dromen niet kunnen vermoeden dat ik ooit zou worden uitgenodigd om daar bij hem te komen logeren. Oké, in mijn stoutste dromen misschien wel... maar welk meisje van mijn leeftijd droomt nou niet van zulke dingen? Tienermeisjes over de hele wereld waren gek op Freds.

Behalve dan mijn beste vriendin Star.

Star vond hem 'een arrogante, saaie, slome sukkel met een slechte kledingsmaak'. O, en had ik al gezegd dat ze hem niet goed genoeg vond voor *moi*? Maar ja, Star vindt geen enkele jongen goed genoeg voor welk meisje dan ook. Niet omdat ze van het eiland Lesbos komt of zo, maar ze heeft een veel hogere dunk van meisjes dan van jongens. Als je haar vader Tiger van de legendarische rockband Dirge ziet, snap je waarom. Het is een wonder dat ze nooit hopeloos ontspoord is.

Hoe lief ik haar ook vind, haar hatelijke opmerkingen over hoe verwaand Freds wel niet was, werden zo langzamerhand *très, très, très* vervelend. Hij kon toch niet zo erg verwaand zijn als hij hield van zo'n Amerikaanse trut als ik, of wel? Dat zei mijn walgelijk rijke, gemene antivriendin Honey tenminste. Het is trouwens niet echt ideaal dat ik de valse Honey moet citeren om zoiets belangrijks als mijn liefde voor Freddie te verdedigen, maar ja.

Star zei de meest afschuwelijke dingen over Freds, vooral sinds ze zijn beste vriend Kev had gedumpt. O ja, dat was het laatste nieuws. Hou je vast: mijn beste vriendin was nu echt stapelgek geworden. En nadat ze Kev had gedumpt, ging ze me als een idioot bewerken om Freds te dumpen. Het was om gek van te worden.

De eerste keer dat ik flauwviel, was nadat ze me had verteld dat ze Kev had gedumpt. 'Wát heb je gedaan?' vroeg ik, nadat ze me met de oude, vertrouwde kriebeltechniek weer had bijgebracht. Kev was Freds beste vriend en het feit dat míjn beste vriendin omging met zíjn beste vriend was een van de leuke dingen aan mijn liefde voor Freds. Ze kón Kev niet dumpen! Dat kon ze gewoon niet doen. 'Je kúnt Kev niet dumpen,' zei ik tegen haar.

'Nou, ik heb het toch gedaan,' zei Star. 'Ik had toch gezegd dat ik het jaar met een schone lei wilde beginnen, schat.' Ze doelde op de goede voornemens die we op oudejaarsavond hadden gemaakt in haar enorme slaapkamer, terwijl haar ouders samen met hun beroemde vrienden de nacht door rock-'n-rolden.

Mijn voornemens waren de normale, onrealistische doelen van een tiener: niet meer aan mijn puistjes zitten en meer *savoir-faire* en *va-va-va-voum* ontwikkelen. Met dat doel voor ogen doorspekte ik mijn zinnen met lekker veel buitenlandse woorden en bon mots. Ik hoopte ook dat ik mijn GCSE-examens goed zou maken en dat ik goede prestaties zou leveren in Italië, waar ik mijn eerste internationale schermtoernooi zou spelen. Ik had in de vakantie een brief gekregen over mijn Italiaanse reis, maar door de kerst, mijn verjaardag en het voortdurende geknuffel van mijn ouders had ik nog niet de kans gehad om me er echt op te verheugen. Vooral omdat Freds niet in het nationale team zat, wat betekende dat ik nog minder tijd met hem zou kunnen doorbrengen.

'Ik dacht dat je bedoelde dat je eh... die blauwe *extensions* uit je haar ging halen en je Franse uitspraak ging verbeteren,' zei ik. 'Niet dat je een prima vriendje ging dumpen!'

Star snoof spottend. 'Calypso, vraag jij je nooit af of er belang-rijkere dingen in het leven zijn dan jongens?'

'Nee!' flapte ik eruit. 'Ik bedoel, ja, natuurlijk, dat vraag ik me voortdurend af.'

'We zijn nog jong, schat. Vind je niet dat we ons beter op onze dromen kunnen concentreren dan op pukkelige jongens?'

Ik besloot niet zoiets zieligs te zeggen als dat Freds mijn droom was, of in ieder geval mijn droomvriendje. Maar dat is hij wel. En hij heeft helemaal geen pukkels!

En toen we in de auto naar Kiltland zaten, zei mijn *padre* ook nog eens zoiets. 'Ik weet best dat je indruk wilt maken op Freds en zijn ouders, maar vind je het niet een beetje overdreven om voor een weekendje logeren een hele hutkoffer vol kleren mee te nemen?'

'Je weet niet waar je het over hebt, Bob,' zei ik tegen hem, maar toen begon ik toch te piekeren of hij misschien gelijk had. Ik bedoel, Freds en de koning en koningin moesten niet denken dat ik indruk wilde maken. Zelfs niet als dat zo was.

Botsende ouderculturen

Toen we met de gênante auto van mijn ouders de heuvel naar het kasteel opreden, moesten we ons eerst door een menigte *royaltywatchers* heen wringen. Die auto is echt om je dood te schamen, en heus niet alleen omdat het geen Rolls Royce met chauffeur is, zoals mijn vriendinnen allemaal hebben. Nee, er zit ook een bumpersticker op met de tekst – hou je vast – I X TOETEREN ALS JE VERLIEFD BENT.

Très, *très* gênant dus.

De fans stonden op wacht in de regen, in de hoop een blik op te vangen van hun geliefde royals. Een stuk of wat hielden borden omhoog met WE HOUDEN VAN JE, PRINS FREDDIE! Er waren ook wat brutalere typetjes bij, die mijn lieve Freds op hun borden de schunnigste dingen beloofden, dus die heb ik heel vernietigend aangekeken.

Bob en Sarah daarentegen vonden het nodig om vriendelijk naar die sletten te zwaaien, terwijl de bewaking de weg voor ons vrijmaakte. Mijn ouders zijn echt niet goed snik. Het leek wel of ze dachten dat zíj royalty's waren of zo.

Ik had me het liefst van mijn stoel willen laten zakken van schaamte, maar ik was bang dat ik dan mijn schitterende outfit zou verpesten. Ik had echt waanzinnig leuke kleren aan. Freds had ze jammer genoeg al eens gezien, want mijn wrede *padre* had geweigerd zijn kostbare creditcard beschikbaar te stellen. 'Je moet een jongen nooit de indruk geven dat je te happig bent,' was zijn smoes.

Om niet op te vallen tussen de royals van Harthnoon Castle had ik in de kerstvakantie mijn vorstelijke tred geoefend. Al zou het fijn zijn als ik niet zo achterlijk lang was. Oké, een paar jaar geleden had ik gebeden om een groeispurt, maar dit werd zo langzamerhand belachelijk. Ik maakte me serieus zorgen dat ik met mijn lange blonde haar in de laaghangende kroonluchters zou blijven haken.

Freds zei dat hij alles aan mij leuk vond, maar ik wist zeker dat ik in de twee weken dat hij me niet had gezien, minstens drie meter was gegroeid. Zijn liefde voor mij zou wel zwaar op de proef worden gesteld als ik 's middags tijdens het theedrinken met mijn haar aan de kroonluchters van zijn ouders kwam te bungelen.

Zoals een of ander belangrijk iemand in de Bijbel of een ander gewichtig boek eens heeft gezegd: 'zo veel problemen, zo weinig oplossingen'. Of misschien was het: 'zo veel mensen, zo weinig vissen'? Ik moest voor mijn GCSE-examens zo veel kennis in mijn hoofd stampen, dat het bijna uit elkaar barstte. De examencommissie zou vreemd opkijken als dat nog eens echt gebeurde.

Iedereen weet hoe waanzinnig knap en fantastisch mijn prins is, dus daar zal ik niet te veel over uitweiden. Laat ik alleen zeggen dat ik me in het begin in mijn arm moest knijpen voor ik geloofde dat ik, Calypso Kelly, ooit de grootste loser onder de losers van mijn chique Engelse meisjeskostschool, iets had met een prins. Alle andere meisjes op het Sint-Augustinus leven in een wereld van totale vrijheid: zij beschikken over pappies creditcard, mammies contacten, persoonlijke bedienden, Rolls Royces met chauffeur en eigen bewakers, ze staan op de societypagina van de krant en hebben eeuwenoude adellijke titels. Mijn familie daarentegen komt van oorsprong uit Kentucky. Wij hebben een auto om je dood te schamen, ik moet altijd op tijd thuis zijn en het enige geld dat ik heb, is mijn zakgeld.

Maar ja, ik had dus wél iets met de prins.

Soms kneep ik me zelfs in mijn arm terwijl ik met hem stond te zoenen en dan gilde ik opeens: 'Au!' Freds vond dat een beetje raar. Hij vond trouwens wel meer dingen raar aan mij. Maar hij was de volmaaktheid zelve en ik kon me niet voorstellen dat het tussen ons ooit uit zou gaan.

Oké, er was misschien één piepklein vliegje in de soep van onze volmaakte liefde, en als ik zeg piepklein dan bedoel ik zó klein dat je het onder een microscoop niet eens zou kunnen zien. En dan bedoel ik dat hij... nou ja, eigenlijk heel normaal is.

Ja, normaal, net zo normaal als een niet-koninklijk iemand. Er is niets geks of zelfs maar een klein beetje excentrieks aan hem. Maar dat is juist goed, toch?

Nou, probeer dat Star maar eens wijs te maken!

Ik weet wat je denkt: hij is een prins, dus hij kan niet gewoon zijn. Maar het is wel zo. Het schokkendste geheim van de koninklijke familie is dat ze allemaal zo slaapverwekkend gewoon zijn. En dat zeg ik met heel veel liefde en respect. Echt waar, ze dragen bijvoorbeeld nooit hun kronen en hun koninklijke gewaden als ze door het paleis lopen. En niet alleen dat, ze eten ook toast bij het ontbijt! Gewoon toast! Kun jij dat geloven? Ik eerst niet.

Toen Freds me voor het eerst van dit schokkende nieuws op de hoogte bracht, moest ik me aan hem vastgrijpen om niet flauw te vallen. Ik had altijd gedacht dat ze speciaal, koninklijk voedsel kregen, ontwikkeld door koninklijke wetenschappers en gezondheidsdeskundigen. Maar nee, ze eten heel gewone dingen, kletsen over het weer en kijken tv, net als iedereen. En jeetje... ze hebben niet eens kabel-tv!

Ik zou doodgaan zonder kabel-tv.

Het enige waar ik me een héél klein beetje zorgen over maakte toen ik in Harthnoon werd uitgenodigd, was hoe ik onder de jacht uit kon komen. Freds en zijn familie vinden niets leuker dan een goede jachtpartij, ten koste van allerlei lieve, zielige beestjes. Ik hou er niet zo van om op dingen te schieten, zoals Freds heel goed weet. Maar ik ging ervan uit dat er op me zou worden gelet, dus moest ik een slim plan bedenken om eronderuit te komen, zonder de harmonie van dit langverwachte weekend te verstoren.

Star waarschuwde me dat zijn familie me raar zou vinden als ik zou zeggen dat ik het niet leuk vond om dingen dood te schieten. Ik was toch al bang dat ze me raar zouden vinden, omdat mijn maffe ouders, Sarah en Bob, uitgebreid hadden staan tongzoenen toen ze me tegen de middag in Schotland kwamen afzetten. Stel je voor dat de koning en de koningin zo normaal waren dat ze tussen de gordijnen naar buiten gluurden, dacht ik. *Quelle horreur!*

Is het slecht van mij om niet te willen dat Bob en Sarah in het openbaar met elkaar tongzoenen? Zij vonden dat ik blij moest zijn dat ze weer samen waren, nadat ze het vorige trimester zes weken uit elkaar waren geweest. Ik wás ook blij. Natuurlijk was ik blij. Ze waren hopeloos zonder elkaar. Het enige wat ik van ze vroeg, was om niet aldoor zo klef te lopen doen.

En natuurlijk was dat precies wat ze deden toen we aankwamen: ze zoenden. Stel je voor dat de roddelbladen een foto maakten van mijn ouders die als een paar tieners stonden te zoenen bij het kasteel!

'Hou op, jullie,' mopperde ik. 'Wat moet de koninklijke familie wel van jullie denken?'

'Bedaar, Calypso. Het zijn heel gewone mensen, net als wij,' zei Bob.

'Gewone mensen!' schreeuwde ik woedend. 'Net als wij?'

Zelfs de livreiknecht, die mijn koffer achter uit de auto haalde, keek geschokt. Ik was er gewoon zeker van dat de koning en de koningin nóóit zoenden in het openbaar. Áls ze al zoenden.

'Verrek, moeten we die vent een fooi geven?' vroeg Bob, terwijl hij zijn portemonnee tevoorschijn haalde. Zo praat hij nou altijd. In iedere zin zegt hij woorden als 'verrek', 'jee', 'te gek' en 'wauw'. Toen ik nog jonger en kwetsbaarder was, schaamde ik me dood en ging ik aan de andere kant van de straat lopen, of ging ik in een restaurant aan een ander tafeltje zitten. Inmiddels ben ik veel sterker geworden.

'Eh, nee,' zei ik, op de autoritaire toon van iemand die haar informatie over de koninklijke familie van het internet heeft gehaald. Ik probeerde zijn portemonnee uit zijn hand te wringen. 'Geef me maar wat kleingeld. Je hoort een fooi achter te laten als je weggaat.' Zo gaat het tenminste volgens www.englishey snobs.com als je in een Engels landhuis komt logeren. En dit was een soort landhuis, maar dan heel groot, met torentjes en een slotgracht.

'Maar wij blijven niet,' bracht Sarah naar voren. 'Wij vertrekken na de lunch en dan begint ons romantische weekend.'

Ik wilde dat ze eindelijk eens ophielden over dat 'romantische' weekend. Ik hoefde echt niet te weten wat ze allemaal van plan waren.

'Nee, maar ík blijf wel,' siste ik, zodat de loerende livreiknecht me niet kon horen. 'Geef nou maar.' Ik trok de portemonnee uit Bobs hand en haalde er snel een bundeltje papiergeld uit.

Bob keek me aan met een blik van: 'op een dag ga je echt te ver, Calypso Kelly', maar op dat moment kwam Freds naar buiten, dus zei hij niets meer. Het klinkt misschien oppervlakkig en niet erg cultuurbewust, maar ik was blij dat Freds geen kilt aanhad. Niet dat ik er iets op tegen heb als een jongen een kilt draagt, maar… Nou ja, ik krijg dan de neiging hem bij zijn arm te grijpen en de Gay Gordons of een andere maffe *reel* te gaan dansen.

Maar Freds had dus geen kilt aan en zijn zwarte haar stond weer zo geinig overeind, precies zoals ik het leuk vind. Zijn ogen leken blauwer dan blauw in de Schotse lucht. Het was een frisse, heldere dag en hij zag er toch zóóó waanzinnig knap uit in zijn dunne, marineblauwe Ralph Lauren-trui, zijn lichtblauwe Ralph Lauren-overhemd, zijn beigeachtige broek en zijn grove wandelschoenen. Op die schoenen maakte mijn moeder mij nog even extra attent. Echt iets voor Sarah. Die jongen ziet er goddelijk uit en het enige wat zij weet te zeggen is: 'Zie je wat een verstandige schoenen hij aanheeft, Calypso?'

Nu ik Freds in al zijn aanbiddelijke glorie voor me zag staan, was ik blij dat ik zo veel aandacht had besteed aan mijn eigen outfit. Ik droeg geen make-up (afgezien van een centimetersdikke laag lipgloss en een flinke lading mascara), want jongens houden ervan als je er natuurlijk uitziet. Ik was me ook te buiten gegaan aan een nieuw bruin corduroy minirokje van de Top Shop, en het groene kasjmier truitje dat Star me met kerst had gegeven, paste perfect bij mijn hoge groene sandaaltjes. En dan te bedenken dat Sarah me vlak voor ik wegging nog had willen overhalen om mijn rubberlaarzen aan te trekken. Ja, echt, mijn rubberlaarzen!

'Geloof me, zijn ouders zullen je erom respecteren,' zei ze, toen ik me klaarmaakte om weg te gaan. 'Schotland kan erg nat en drassig zijn.'

Ik wist niet eens wat drassig was, maar ik wist zeker dat royals niet door iets drassigs gingen lopen. Dus in de hoop Sarah met mijn kennis over het koningshuis de mond te snoeren, vroeg ik: 'En wie vindt rubberlaarzen geschikte dracht voor een lunch met de koninklijke familie? Nou? Niemand dus.'

Je zou verwachten dat mijn maffe *madre* daar niet van terug

had, maar nee, ze bleef nog uren doordrammen over de voordelen van rubberlaarzen boven hoge sandaaltjes. Ik vraag me af hoe
ze ooit kans heeft gezien Bob te versieren, als zij rubberlaarzen
beschouwt als verleidelijk schoeisel.

Maar eigenlijk wil ik dat helemaal niet weten.

Om haar tot zwijgen te brengen deed ik alsof ik flauwviel en ik
kwam pas bij toen het tijd was om in de auto te stappen. Mijn
nieuwe flauwvalstrategie bleek van onschatbare waarde in mijn
strijd tegen ouderlijke waanzin.

Mijn ouders waren uitgenodigd om 'met de majesteiten de
lunch te gebruiken'. Dat klinkt heel voornaam, maar uiteindelijk
bleek de lunch te bestaan uit smerig koud vlees, een verzameling
vreemde kaassoorten die stonken naar zweetsokken, en een of
andere gore, oude rode wijn.

Bob en Sarah leken zich bij koningin Adelaide en koning Al-
fred volkomen thuis te voelen. En zoals je van ze kon verwachten, noemden ze hen tegen de tijd dat ze vertrokken al Addie en
Al. Ik probeerde ze tijdens de lunch op allerlei bedekte manieren
te seinen dat ze zich moesten inhouden, maar ze deden net of ze
niets merkten. Alleen Bob seinde me net zo bedekt terug dat ik
me niet moest aanstellen.

Toen ik ze samen met Freds ging uitzwaaien, zoenden ze elkaar wéér. Ik besloot dat dit echt de allerlaatste keer was dat ik ze
meenam naar de ouders van een vriendje. Niet dat ik van plan
was een ander vriendje te nemen of zo. Nee, Freds was het ideale
vriendje voor mij. Hoewel ik het niet erg zou vinden als hij nog
een stukje zou groeien.

De smoes van de eeuw

Freds' ouders bleken Bob en Sarah meteen erg aardig te vinden. Mij daarentegen vonden ze 'nogal ziekelijk en snotterig'. Oké, ik had Freds gedwongen te zeggen wat ze van me vonden. Hij had het van mij alleen wel ietsje aardiger mogen brengen.

'Ik denk dat het komt door die loopneus,' voegde Freds er ter verklaring aan toe.

O ja, mijn verkoudheid. Mijn geniale smoes om de volgende dag niet mee op jacht te hoeven. Het was echt een fantastische, perfect uitgewerkte smoes. Ik had zelfs de moeite genomen om mijn zakdoek in te smeren met chiliolie, om het effect van de glazige blik en de loopneus te bereiken. Het was een foefje dat we op het Sint-Augustinus gebruikten om de klas uit te komen.

Terwijl de royals er dus op uit waren om dieren af te slachten, zat ik in de bibliotheek (net zoiets als op het Sint-Augustinus, maar dan zonder computers). Freds' oma zat bij me. Ze had ondeugende glimoogjes en was heel lief en vrolijk. Ze sloeg het ene glas sherry na het andere naar binnen en liet voor de grap steeds iemand van het personeel opdraven. We konden het goed met elkaar vinden, zoals je dat met een lief, dronken oudje en een nuchtere tiener soms kunt hebben. Jammer genoeg zaten haar twee oude labradors steeds naar me te happen. 'Dat is hun manier om gedag te zeggen, wist je dat niet?' legde oma uit, terwijl ze mijn benen er bijna af beten.

Sarahs ouders waren toen ik klein was, omgekomen bij een auto-ongeluk en Bobs ouders woonden in Kentucky, dus die zag ik bijna nooit. En áls ik ze zag, zeurden ze altijd dat ik genoeg melk moest drinken, alsof ik een kalf was of zo. Freds' oma daarentegen dwong me te proeven van haar sherry, die naar hoestdrank smaakte. Ik denk wel dat ik er een beetje dronken van werd, want na een poosje noemde ik haar Bea in plaats van mevrouw. Ik liet haar ook mijn mobiel gebruiken om de butler te bellen, die niet meer reageerde op haar oproepen via de huistelefoon. Dit nadat ze hem talloze keren had gebeld met de meest schandelijke beschuldigingen over wat hij in zijn vrije tijd uitspookte. Ze was zo verschrikkelijk grappig dat ik het bijna in mijn broek deed van het lachen.

Ik zat nog steeds te lachen als de Lachende Cavalier op dat beroemde schilderij uit de Wallace Collection, toen Freds en zijn ouders terugkwamen van hun moordpartij op onschuldige dieren. De Lachende Cavalier ziet er trouwens niet uit alsof hij echt moet lachen. Als je het mij vraagt, zit hij op een smerige, veelbetekenende manier te grijnzen.

Ik denk dus niet dat dat er erg goed uitzag.

Freds wierp me een teleurgestelde blik toe terwijl we met z'n allen naar de zitkamer gingen, die uitkeek op een prachtig *loch*. Ik stond net naar buiten te kijken, in de hoop een monster of iets anders fascinerends te zien opduiken, toen de koningin vroeg: 'Hoe is het met je verkoudheid, Calypso?'

'Mijn wat?' vroeg ik. Ik was mijn smoes helemaal vergeten.

'Je verkoudheid!' herinnerde Freddie me, een beetje geïrriteerd.

'O, dat.' Ik haalde mijn zakdoek voor de dag en begon flink te snuiten. Hierdoor moest ik hoesten en dat was voor de labradors weer aanleiding om naar mijn benen te happen. 'Het gaat geloof ik wel iets beter.'

'O, prachtig,' antwoordde de koning, terwijl hij opgetogen met zijn handen op zijn stoelleuningen sloeg. 'Het zou vervelend zijn als je door ziekte dat fantastische programma van je moeder zou moeten missen.' Eerlijk, Freds ouders waren al net zo maf als die van mij. Eerst toast en nu dit weer!

Ik had het helemaal niet erg gevonden om Sarahs 'fantastische' programma te missen. Ik denk dat Freds dat wist, want hij gaf me een van zijn waarschuwende blikken, die mij veel te vaak begonnen voor te komen naar mijn zin.

'Nee, nee, ik kan niet genoeg krijgen van *Harley Village*,' zei ik vol overtuiging. Ik begon steeds beter te liegen, beangstigend gewoon.

Harley Village is een afschuwelijk saaie dramaserie over een dorp in Yorkshire, waar een zoekgeraakt varken voorpaginanieuws is. Het was al zo'n vijftig jaar de best bekeken serie in Engeland en Sarah was gênant trots op haar nieuwe schnabbel. Ik snapte niet waarom ze haar nieuwtjesrubriek met Hollywoodsterren niet had gehouden. De jongens op het Eades waren helemaal gek van dat programma, en die roem straalde natuurlijk ook op mij af.

Sarah kon dat 'sfeervolle' *Harley Village* prijzen tot ze een ons woog, wat mij betrof was het gewoon een serie over suffe, slome mensen die ruziemaakten over welke paraplu van wie was.

'Schitterend,' zei de koning.

'Uitmuntend,' beaamde de koningin.

'Rotzooi,' riep Bea. Heel even dacht ik dat ik het had geroepen. Toen gaf Bea me een knipoog en ik moest zo hard mijn neus snuiten om mijn lachen te verbergen dat ik bijna flauwviel.

Dat was het ergste van het hele weekend: die nepverkoudheid. Nu ik eenmaal had gezegd dat ik verkouden was, om niet mee te

hoeven met de jachtpartij, kon ik moeilijk opeens op wonder-
baarlijke wijze opknappen. Dan zou iedereen me in de gaten
hebben. Het was *merde*! Ik moest het hele weekend blijven snotteren en hoesten. En zoals later bleek, was het helemaal niet
nodig geweest.

Toen Freds en ik in een van de vochtig ruikende torentjes alleen waren om elkaar een afscheidskus te geven, was ik zo naïef
hem in vertrouwen te nemen over mijn nepverkoudheid en de
reden daarachter. Hij wist dat ik het afschuwelijk vond om dieren dood te schieten, dus ik dacht dat hij het wel zou begrijpen.
Eigenlijk had ik gehoopt dat hij er verschrikkelijk om zou moeten lachen en me rond zou laten zwieren in zijn armen, maar in
plaats daarvan gaf hij me weer een van zijn teleurgestelde blikken. Ik haatte dat. Iedere keer als hij me zo aankeek, zag ik mezelf in zijn ogen verbleken. Toen zei hij: 'We gingen kleiduiven
schieten, Calypso. Ik weet heel goed hoe anti je bent.'

Ik weet niet hoe hij het voor elkaar krijgt, maar als hij het heeft
over mijn afkeer van het doden van dieren, klinkt het op de een
of andere manier altijd alsof ik verraad pleeg.

Kan ik er wat aan doen dat niemand mij ooit iets vertelt? Die
stomme vriendjes ook met hun stomme verwachtingen en hun
teleurgestelde blikken. Voor mij was het echt niet gemakkelijk
om het hele weekend aan die stinkende zakdoek te lopen snuiven. Maar had hij me bedankt? Zijn respect laten blijken? Aangemoedigd? Nee.

Nu dachten zijn ouders dat ik ziekelijk en snotterig was en
zouden ze me waarschijnlijk voorgoed weren uit al hun kastelen,
en Freds en ik zouden ons net als gewone jongens en meisjes
moeten beperken tot cafés en pizzeria's. *Merde*, *merde* en nog
eens *merde*.

Al met al was het weekend niet het succes waarop ik had gehoopt en ik ging met een enorme kater terug naar Londen. Het

toppunt van narigheid was dat mijn mooie groene sandaaltjes helemaal doorweekt waren geraakt toen Freds me meenam voor een wandeling door een moerasgebied. 'Je had rubberlaarzen moeten aandoen,' zei hij tegen me.

En net toen ik dacht dat het niet erger kon, werd ik nog afschuwelijk verkouden ook.

Getuige van waanzin

Ik vertrok verre van vrolijk uit het kasteel.

Toen ik weer terug was in het huis dat mijn ouders huurden in Clapham, een wijk in Londen – het 'Clap-huis' zoals mijn valse antivriendin Honey O'Hare het had genoemd – bereikte mijn leven algauw een nieuw dieptepunt.

Sarah en Bob kwamen de trap opstormen naar mijn slaapkamer, gooiden mijn deur open (zonder eerst even beleefd te kloppen) en kondigden in koor aan: 'We hebben besloten te gaan trouwen, Calypso.'

Ik antwoordde alleen maar: 'O, leuk', want mijn ouders zeggen voortdurend de meest idiote dingen.

Ik zat naar mijn lievelingsliedje te luisteren op de gave groene iPod die ze me als gecombineerd verjaardags-kerstcadeautje hadden gegeven. O ja, en intussen zat ik ook te sms'en naar Freds, want zoals de een of andere oude Griek in een toga (of was het een bad?) al zei: 'Het leven is te kort om je tot één activiteit te beperken.' Maar het kan ook zijn dat ik dat eens in mijn horoscoop heb gelezen.

Hoe dan ook, de mededeling van mijn ouders drong langzaam tot mijn bewustzijn door, en van schrik verzond ik mijn sms'je voordat ik er x'jes bij had kunnen zetten. Ik draaide me om om ze aan te kijken, rukte mijn oortelefoontjes uit mijn oren en riep wat iedereen natuurlijk allang wist: 'Maar jullie zíjn al getrouwd!'

Ze giechelden als een paar idioten.

En toen kwam er een afschuwelijke gedachte in me op. 'Jullie hebben toch niets gekocht van een vent met een capuchon in Landor Road?' vroeg ik streng, want het laatste waar ik behoefte aan had was dat mijn halfgare ouders wiet gingen roken en net zo eindigden als Stars vader, Tiger. Die lag waarschijnlijk op datzelfde moment in zwaar benevelde toestand op zijn keukenvloer. Volgens Star noemt hij iedereen 'kerel' omdat hij geen geheugencellen meer over heeft. Het moet *très*, *très* gênant zijn om een vader als Tiger te hebben.

Bob en Sarah hebben nooit enige belangstelling getoond voor het verkennen van de drugscultuur, maar ze zijn erg naïef, vooral Bob. Die is sinds hij in december naar Londen is gekomen zeker negen keer beroofd. Dat is meer dan één keer per week. Hoe vaak ik hem ook zeg dat hij op een druk metrostation niet zijn hele portemonnee voor de dag moet halen als hij een pond aan een bedelaar wil geven, hij doet het steeds weer. Waarmee maar weer is bewezen dat ouders 24 uur per dag toezicht nodig hebben. Ik weet werkelijk niet hoe ze het moeten redden als ik volwassen ben.

Bob en Sarah keken elkaar aan en lachten. Dat deden ze erg vaak sinds ze weer bij elkaar waren en ik was daardoor ongewild in de rol gedrukt van de verstandige ouder, in plaats van de onverantwoordelijke puber die ik eigenlijk hoorde te zijn.

'Nee, Calypso, we roken geen wiet,' stelde Sarah me gerust. 'Het is alleen dat we nog nooit in Engeland zijn getrouwd.'

'Je bent óók niet getrouwd in Mississippi, Sarah, daar gaat het helemaal niet om,' zei ik rustig tegen mijn maffe *madre*. 'Je kunt niet de hele wereld over gaan en steeds weer met elkaar trouwen. Dat mag waarschijnlijk niet eens.'

'Waarom niet?' vroeg Bob. Hij kneep mijn moeder speels in haar bil, en zij gaf een gilletje.

'Dat heet bigamie, Bob,' zei ik, hoewel ik niet zeker wist of het inderdaad bigamie heette als je steeds weer met dezelfde persoon trouwde. Ik wist wel dat het gekkenwerk was. Maar ze luisterden niet. Ik keek nog even toe terwijl mijn giechelende ouders elkaar in mijn deuropening kietelden en zoenden.

Bij het zien van zo veel ouderlijke waanzin deed ik mijn oortelefoontjes weer in en zei 'Oké dan', op de smalende toon die iedere tiener wiens ouders opnieuw verliefd zijn geworden waarschijnlijk maar al te goed kent.

Maar het viel hen niet uit het hoofd te praten. In de laatste week van de kerstvakantie lieten Bob en Sarah hun huwelijk zegenen in Windsor Chapel. Ook weer zoiets. Van alle schilderachtige trouwlocaties kozen ze net die ene kerk die op een steenworp afstand stond van Freddies familiekastelen. Toen ik ze smeekte een andere mooie kerk uit te kiezen, rolden ze met hun ogen en zeiden ze dat ik me aanstelde. Dat zeggen ze erg vaak de laatste tijd. Gelukkig zaten Freds en zijn ouders nog in hun kasteel in Kiltland.

Bobs ouders, die liefdevol 'de Gams' worden genoemd, kwamen over voor de plechtigheid en gaven me een boekenbon van twintig dollar uit hun plaatselijke boekwinkel in Kentucky.

Ik ben nog nooit in Kentucky geweest, wat dachten ze nou eigenlijk?

Na de trouwerij, die dus eigenlijk alleen een zegening was, gaven Bob en Sarah een groot feest in het Clap-huis. Eigenlijk is het een hartstikke leuk huis, en Sarah en Bob nodigden al mijn vriendinnen uit voor de receptie en zeiden dat ze mochten blijven slapen, dus dat maakte de krankzinnige vertoning een beetje goed. Maar toen verpestten ze alles weer door elkaar bij het aansnijden van de taart in het openbaar een vreselijk hartstochtelijke zoen te geven. Die zoen duurde (eerlijk waar) negenenveertig seconden. Zó gênant. Ik hield de tijd bij op mijn mobiel, terwijl al mijn vriendinnen er met hun mobiel foto's van maakten.

Het was waanzin in zijn meest pure vorm.

'Ze zijn toch zó schattig,' gilde Star, terwijl ze het schattige, zoenende stel aan één stuk door op de foto zette.

Opstoppingen op de trap

Na de trouwerij/zegening ging het gezoen gewoon door. Ze deden het zelfs toen ze me na de vakantie terugbrachten naar school. Ik had me er erg op verheugd om ook eens door mijn ouders naar school gebracht te worden. Dit was voor het eerst sinds jaren dat ik niet na een helse vlucht van Los Angeles naar Heathrow zelf hoefde te zorgen dat ik op het Sint-Augustinus kwam.

Het was een heerlijke luxe om te worden gebracht, ook al was het dan in een supergênante auto, waar ze geen van beiden goed mee overweg konden. Het grootste voordeel was dat ze mijn loodzware koffer en schermuitrusting naar de slaapkamers konden helpen dragen, net zoals de ouders en bediendes van de andere meisjes. Hoera! Nou ja, zo had ik het me in ieder geval voorgesteld in Calypso's Heel Eigen Fantasieland.

Mijn school is eigenlijk een wereldje op zich. Voor een Amerikaan is het een beetje een cultuurschok binnen een cultuurschok. Sarah heeft me naar deze school gestuurd omdat ze in Engeland is geboren en er zelf ook op heeft gezeten – en zij vond het er heerlijk. Ik had niet gedacht dat ik het er ooit naar mijn zin zou krijgen, maar na vier jaar het buitenbeentje van de school te zijn geweest, begon ik eindelijk mijn draai te vinden. Maar dat was misschien ook omdat ik er een beetje aan gewend was geraakt om een buitenbeentje te zijn.

Terwijl we over het met varens omzoomde pad naar de ingang van het Sint-Augustinus reden, passeerden we kleine groepjes witte nonnetjes, die hand in hand liepen te wandelen. Ze zwaaiden allemaal naar ons en Bob toeterde terug. De nonnetjes zijn toch zó lief. Ze geven nooit straf en rollen ook nooit met hun ogen als we iets doen, zoals andere volwassenen. Ook laten ze ons soms stiekem naar het klooster komen om gezellig samen thee te drinken, en dan bedelven ze ons onder de snoepjes en de mierzoete cake.

Toen we onze gênante auto naast de Bentleys, Range Rovers en Rolls Royces hadden geparkeerd, kondigden Bob en Sarah aan dat ze alleen mijn koffer voor me naar binnen zouden dragen.

'Dat kost ons anders onze rug,' zei Bob.

'Alsof ík de afgelopen jaren geen gebroken rug heb overgehouden aan al dat gesjouw,' mopperde ik.

We werden het er ten slotte over eens dat ik zelf mijn loodzware schermuitrusting, mijn handbagage en mijn konijn, Dorothy Parker, naar boven zou slepen. Niet dat ik daar echt bezwaar tegen had. Ik vind het enig om Dorothy te dragen (vooral in haar nieuwe limoenkleurige leren draagmand). Mijn schermuitrusting vertrouw ik aan niemand anders toe en ik wilde beslist niet dat Bob en Sarah in de buurt kwamen van mijn handbagage, want daar zaten mijn Body Shop Specials in, met andere woorden: de wodkavoorraad. Bovendien woog de koffer zeker duizend kilo!

De problemen begonnen pas toen ze elkaar halverwege de trap weer probeerden te zoenen. Kennelijk hadden ze zich nooit verdiept in de wetten van de zwaartekracht, want zodra ze de koffer losliepen, stuiterde die met een donderend geraas langs de smalle wenteltrap naar beneden, waarbij hij een hele horde ouders, bedienden en andere meisjes in zijn val meesleepte.

Ik stond wat lager op de trap met mijn eigen lading te worstelen, toen een van de meisjes die onderuit waren gedenderd boven op me viel, waardoor ik languit op de stenen vloer onder aan de trap belandde. Bob en Sarah namen geen van beiden de moeite om te kijken hoe het met me ging. Volgens mij hadden ze niet eens in de gaten wat voor ramp ze met hun gezoen teweeg hadden gebracht.

Ik controleerde net hoe het met Dorothy ging toen de Niet Zo Hooggeboren Honey O'Hare eraan kwam, gevolgd door haar afschuwelijke bediende Oopa en een vreemde vent in een oranje boeddhistengewaad. Ze stapten over me heen alsof ik een platgereden egel was.

Honey sprak me aan op haar bekende hatelijke, superarrogante toon, die ze in de loop van miljoenen schampere opmerkingen steeds verder heeft geperfectioneerd. 'O, de Amerikaanse vluchtelinge is ook weer terug. Ik had verwacht dat de nieuwe immigratieregels je wel buiten de deur zouden houden.' Toen tuitte ze haar dikke collageenlipjes en begon ze als een hyena te lachen om haar eigen grapje. De gedeelten van haar gezicht die niet met collageen en botox waren ingespoten, trokken alle kanten op. Het was niet om aan te zien.

Oopa stond er alleen maar piepend bij te hijgen. Zijn rug brak waarschijnlijk onder het gewicht van Honeys LVT-hutkoffer en haar op bestelling gemaakte LVT-tassen, maar na zijn reactie de laatste keer dat ik hem hulp aanbood, had ik geen medelijden meer met hem. De boeddhistische monnik stond op enige afstand vredig toe te kijken.

Ik ging niet op Honeys aanval in. Dat is een overlevingstactiek die ik me de afgelopen vier jaar op het Sint-Augustinus heb eigen gemaakt. Het vorige trimester werd mijn grootste angst werkelijkheid toen ik een kamer met Honey moest delen, maar dit trimester sliep ze ergens anders, dus was de *froidure* tussen ons weer

31

helemaal terug. Mijn *modus operandi* was me zo min mogelijk met haar te bemoeien.

Maar Honey bemoeide zich nog wel met mij. Ze deed haar mond al open om een van haar Honey-tirades af te steken, maar toen keek ze plotseling sprakeloos omhoog.

Ik volgde haar blik en zag wat haar aandacht had getrokken. Bob en Sarah stonden onder het gebrandschilderde raam van Maria en het kindje Jezus en keken elkaar aan met dezelfde verrukte blik waar ik al de hele vakantie tegenaan had moeten kijken. En ze giechelden.

'Dat,' zei Honey laatdunkend, terwijl ze een van haar kwaadaardige klauwen naar Bob en Sarah uitstak, 'is het weerzinwekkendste wat ik ooit heb gezien.' Ze huiverde demonstratief van afschuw, haalde diep adem en liep de trap op, gevolgd door haar bediende en de boeddhistische monnik.

Als het Honey niet was geweest, had ik haar gelijk gegeven. Nu pakte ik zwijgend mijn konijn en mijn schermspullen bij elkaar en liep ik zo waardig mogelijk achter haar aan de trap op. Net als de meeste meisjes en ouders was ze bruin van haar nieuwjaarstrip naar Val d'Isère. Maar in tegenstelling tot de anderen droeg ze een superbloot geel zonnejurkje en goudkleurige zomersandaaltjes van Jimmy Choo. En natuurlijk had ze nog twee andere Sloane-accessoires bij zich die je nooit mag vergeten: haar onwaarschijnlijk kleine, met edelstenen ingelegde mobiel (die permanent aan haar oor geplakt zit) en een pashminasjaal van vijfhonderd dollar, die ze als een Afrikaanse choker om haar nek had gewikkeld.

Halverwege de trap draaide Honey zich om en nam me van top tot teen op. Haar blik voelde als het zoeklicht van een kwaadaardige gevangenisbewaker. Ik controleerde mijn onopvallende kleding om te zien wat het probleem was. Ik keek zelfs even onder de zolen van mijn verpeste groene sandaaltjes terwijl ik haar aanval afwachtte.

Ten slotte zei ze: 'Nou?'

Dus vroeg ik: 'Wát nou?'

'Dat schorriemorrie van ouders van je blokkeert de trap, Amerikaanse trut.'

Ik rekte mijn hals en zag dat ze gelijk had. Och jeetjemina, het was toch ook ongelofelijk. Ze stonden nog steeds te knuffelen, volkomen blind voor al de mensen die zich langs hen heen probeerden te wringen. Ik riep scherp: 'Sarah en Bob! Hou daar onmiddellijk mee op!'

Je ziet wel dat die omgekeerde rolverdeling een heel slechte invloed op me had.

Ouderlijk vertoon op de kamer

Dit trimester deelde ik een kamer met twee van mijn liefste vriendinnen: de heerlijk sentimentele jongensgek Clementine en een prinses uit Nigeria, Indiamacca, beter bekend als respectievelijk Clems en Indie. Ze waren alle twee al binnen en zaten te kletsen in hun piepkleine mobieltjes. Dat mobieltje van Indie is echt supercool. Het is heel mooi glanzend paars en haar naam is er met echte diamanten in gezet.

Clems ouders en de mijne stonden met elkaar te praten terwijl wij onze kleren uitpakten. Clems kleine broertje Sebastian gooide steeds de kastdeur open en dicht, deed net of hij een wild dier was en beet in de kleren die wij probeerden op te ruimen. Hij was inmiddels drie en begon steeds minder op een Jelly Baby en steeds meer op een boze dwerg te lijken.

Indies bediende pakte haar koffers voor haar uit, terwijl haar bewakers de kamer opleukten in haar lievelingskleur paars.

Ik was inmiddels zo gewend aan mijn maffe Engelse kostschoolleven dat ik nauwelijks aandacht besteedde aan de twee potige, kortgeschoren kerels die op onze sierlijke, gebloemde krukjes stonden te balanceren om de paarse gordijnen op te hangen.

Ik had Indie en Clemmie sinds het vorige trimester niet meer gezien, dus ik wilde dolgraag hun laatste nieuwtjes horen. Maar terwijl we elkaar nog luchtzoenden en knuffels stonden te geven, hoorde ik Sarah tegen Clemmies ouders (en iedereen in het gebouw die het maar kon horen) zeggen: 'Ja, we zijn met kerst getrouwd. Het was toch zóóó romantisch.'

Dit was te erg. Ik wist zeker dat Indies bediende en bewakers zich geen bal interesseerden voor Bob en Sarahs huwelijksverbintenissen. Maar met Clemmies ouders was het een ander verhaal. Dat waren niet van die excentriekelingen zoals de ouders van Star en mij. Nee, dat waren heel normale, waanzinnig conservatieve Tory-stemmers.

Dit was een noodsituatie. Zonder erbij na te denken dook ik over Indies bediende heen, die heel voorzichtig haar peperdure vrijetijdskleding in de la onder haar bed stond te leggen, sloeg mijn hand over Sarahs mond en riep: 'Stil!' Terwijl ik me naar Clemmies ouders omdraaide, legde ik uit: 'Echt, ze zijn jaren voor mijn geboorte al met elkaar getrouwd! Ze hebben het alleen nog een keertje overgedaan. Ik wil geen problemen.'

Mr. en Mrs. Fraser Marks keken me aan alsof ik een puber was in een diepe hormonale crisis. Toen richtte Clems' *madre* zich rechtstreeks tot Sarah. 'Ja, Clementine heeft ons over de plechtigheid verteld. Van harte gefeliciteerd, allebei.'

Ik haalde mijn hand van Sarahs mond en deed alsof ik alleen een paar kruimeltjes had willen wegvegen. Sarah schudde afkeurend haar hoofd, dus drukte ik een plichtsgetrouwedochterskus op haar neus.

Bob keek me aan met een blik van: 'wat stel je je toch weer aan, Calypso'. Ik maakte me zo onopvallend mogelijk uit de voeten naar Indie en Clemmie. Stomme, stomme, stomme Calypso – was ik maar flauwgevallen.

Sebastian wees naar me en zei: 'Stoute vos.'

'Wat een grappig kereltje,' zei Bob, en hij begon te lachen toen Sebastian zijn tanden in mijn hand zette en zei: 'Stoute vos, stoute vos, stoute vos.'

Hij kreeg niet eens een standje. Star heeft gelijk. Het is onvoorstelbaar wat jongens ongestraft kunnen doen.

Clems vader zei: 'Clemmie was heel verdrietig dat ze er niet bij kon zijn, maar we waren op skivakantie.'

'Star heeft me wel foto's gestuurd,' zei Clemmie, terwijl ze haar Mason Pearson-borstel door haar lange blonde haar haalde, dat nu tot over haar middel hing.

'Ja, zeker, eh… de taart zag er prachtig uit,' zeiden haar ouders een beetje gegeneerd. Kennelijk had Star een foto gestuurd van het moment dat ze elkaars tong stonden door te slikken.

'Te gek,' zei Bob. Ja, dat zei hij echt: te gek.

'Jullie zijn toch zó'n schattig stel,' zei Indie tegen mijn ouders.

Waarom zegt iedereen toch steeds dat mijn ouders schattig zijn? Als ik 'te gek' zou zeggen, zou heel Engeland daar de komende tien miljoen jaar grapjes over maken. Maar als Bob en Sarah iets zeggen, vindt iedereen ze om de een of andere reden altijd 'schattig'.

Hello Kitty-broodroosters die Hello Kitty-gezichtjes op je brood roosteren zijn schattig. Bob en Sarah zijn hooguit opvallend. Waarom kunnen ze niet gewoon afstand van elkaar houden, zoals normale ouders?

'Laten we Dorothy naar het dierenverblijf brengen,' zei ik tegen Clemmie, die mijn konijn al uit haar mandje had gehaald om haar vrij te laten rondhuppen.

'Goed idee,' zei ze, terwijl Dorothy haar bestraffend in haar vinger beet. Dorothy kan zich behoorlijk misdragen als ze te lang in haar mandje heeft gezeten.

'Ik ga mee,' zei Indie. Ze bekeek haar modellenfiguurtje in de spiegel, terwijl ze haar paarse pashmina om haar hals schikte. 'Edwards, zorg jij dat de rest van de decoraties op hun plaats komen?' vroeg ze aan haar bediende. Hij maakte een lichte buiging.

'Wij gaan Dorothy naar het dierenverblijf brengen,' zei ik tegen mijn maffe *madre* en *padre*. Ze stonden nog steeds enthousiast te praten over de revolutionaire effecten die hun 'nieuwe' huwelijk teweeg had gebracht. Mijn vader had het er zelfs over dat hij een script ging schrijven, gebaseerd op hun hereniging. Dat wil je toch niet geloven? Zo ging hij het noemen: *De hereniging!*

'Oké, tot kijk, Calypso. Bel ons morgen maar om te vertellen of je een beetje je draai hebt gevonden,' zei Bob, terwijl hij me een zoen op mijn hoofd gaf.

Sarah, die zich met veel moeite uit haar gesprek losrukte, gaf me alleen het Amerikaanse handgebaar voor oké, waar mijn vriendinnen weer verschrikkelijk om moesten lachen. Toen ik net in dit land van regen en mist kwam wonen, ontdekte ik al gauw dat het niet de rigueur was om handgebaren te maken als mensen zo dichtbij staan dat ze je gemakkelijk kunnen verstaan. Ik had waarschijnlijk nog geluk dat ze geen highfive met me probeerde te maken. Dat doet ze soms ook.

Onderweg naar het dierenverblijf maakten Clemmie en Indie natuurlijk aan één stuk door handgebaren naar elkaar. Dat doen Engelsen altijd; ze nemen je voortdurend in de maling, in de zeik, of hoe je het ook maar wilt noemen. Het is een nationaal tijdverdrijf. Zelfs de nonnen en het personeel doen het.

Operatie jongens dumpen

Star stond al met haar rat en haar slang in de bevroren dierenren. Ze had haar onafscheidelijke Dr. Martens aan (roze dit keer), een Schots geruit minirokje en een kasjmier merktrui met scheuren. Haar gevlekte python Brian lag als een pashmina om haar hals en Hilda, de rat, stak haar kop door een gat in haar trui, wat haar rockroyalty-look compleet maakte. Zelfs in roze uitrusting zag Star er met haar lange rossige haar, haar grote, groene ogen en haar melkwitte huid uit als een ondeugend engeltje.

Mijn oog viel op Honey en Georgina, die tussen de bomen van het Vrijersbosje een sigaret stonden te roken. Van een afstand zagen ze er met hun slanke figuurtjes en hun lange blonde haar uit als zussen. Georgina had net als Honey blote benen, maar als kleine tegemoetkoming aan de kou had ze in ieder geval een zwarte, kasjmier trui aangetrokken en droeg ze een lichtblauwe pashmina om haar hals. Ook hield ze haar teddybeer Tobias tegen zich aan geklemd. Tobias is een leerling van het Sint-Augustinus en betaalt het volledige schoolgeld.

Na een enthousiast rondje luchtzoenen wees Star met een spottend gezicht in de richting van de bomen. 'Heb je Honeys nieuwe bodyguard al gezien?'

Ik zag de boeddhist in zijn oranje gewaad tussen de bomen zitten, kennelijk verdiept in een of andere vorm van meditatie.

'Jaaa, ik had hem al eerder gezien. Hoe zit dat nou?' vroeg ik.

'Honey is bang dat ze ontvoerd zal worden, nu haar nieuwste stiefvader in het House of Lords zit.'

'Maar eh… zijn boeddhisten niet juist van die vredelievende, bedachtzame types?' vroeg ik.

'Jaaa, zeker. Maar geweldloze beveiliging is op het ogenblik helemaal in. In de *Tatler* stond laatst een groot artikel over geweldloze beveiligingsbedrijven in Knightsbridge,' legde Clems uit.

Ik vond het zo'n raar verhaal dat ik veel zin had om flauw te vallen, maar toen kreeg Georgina ons in de gaten en kwam naar ons toe rennen.

Na een nieuw rondje luchtzoenen gaf ik Dorothy aan Georgina, haar mede-eigenaar. 'Dorothy! Je bent een klein dikzakje geworden!' zei ze klappertandend tegen ons kleine, mollige konijntje. 'Zo word je nooit een model, schat!' Ze gaf Dorothy een kusje op haar neus.

'Het is Sarahs schuld,' zei ik, terwijl ik Dorothy achter haar oortjes kriebelde. 'Die bleef haar maar etensrestjes voeren, ook al zei ik nog zo vaak dat ze een gevoelig wezen is en geen vuilnisbak!'

'Hilda is ook aangekomen,' zei Star over haar rat. 'Ik heb haar op een speciaal dieet gezet, om haar maag en darmen te ontzien. Mammie heeft een specialist uit New York laten overkomen om haar een voedingsadvies te geven.'

We knikten allemaal ernstig, alsof het de gewoonste zaak van de wereld was om een dieetspecialist te laten overvliegen om een rat te helpen met afslanken. Toen ik nog maar net op het Sint-Augustinus zat, vond ik alles aan deze verwende, zelfverzekerde, wereldwijze meisjes hartstikke raar. Maar als je maar lang genoeg met dat soort mensen omgaat, wen je vanzelf aan hun eigenaardigheden.

Toen ik zeker wist dat Honey ons niet kon horen, vroeg ik aan Georgina: 'Bij wie zit Honey op de kamer?'

'Bij Fenella en Perdita van Polo Centraal,' antwoordde Georgina, doelend op de polotweeling.

Fenella en Perdita waren een eeneiige tweeling en fanatieke polospeelsters. Hun pony's stonden in een manege in de buurt en ze waren waanzinnig populair bij de polojongens op het Eades, die alleen in polojargon spraken.

'Het is om je dood te lachen,' zei Georgina. 'Honey kwam zich bij me beklagen. Toen ze hier aankwam, was blijkbaar iedere vierkante centimeter van de muur al volgeplakt met foto's van polopony's en knappe polospelers. Ze was laaiend en Siddharta, haar bodyguard, zei steeds maar dat ze diep moest ademhalen. Tobias lachte zich bijna uit de naad.'

We konden allemaal met Tobias meevoelen, want het eerste wat Honey altijd deed als haar bediende haar spullen had uitgepakt, was haar prikbord en muur volhangen met paparazzifoto's van haarzelf. Honey is dol op societyfoto's waarop ze staat te kletsen met andere societyklonen. Ik stelde me voor dat ze in Fen en Perdita een paar andere It Girls had getroffen, voor wie buiten het polo niets telde. Honeys valse humor zou bij hen beslist niet in goede aarde vallen, dus als Honey haar dagelijkse portie venijn kwijt wilde, zou ze bij anderen op de kamer moeten rondhangen.

O, nee! Welkom in de Honey-hel!

Stel je niet aan, zei ik tegen mezelf. Honey ging waarschijnlijk naar Georgina's kamer. Met haar had ze tenslotte op de kleuterschool gezeten, en hun biologische vaders jaagden samen. 'En jij, Georgina? Bij wie zit jij op de kamer?' vroeg ik luchtig, in de hoop dat het iemand zou zijn die goed met Honey overweg kon.

'Bij Beatrice en Izzie,' antwoordde Georgina, die tevergeefs probeerde haar lachen in te houden. Izzie was een angstaanjagend type, alleen op een iets minder confronterende manier dan Honey.

Ik had via het sms-roddelcircuit gehoord dat Honey op een of ander nieuwjaarsfeest in Val d'Isère Izzies vriendje had versierd. 'Is het waar dat Honey met Izzies vriendje heeft staan zoenen?' vroeg ik, bijna in paniek.

Star en Georgina keken elkaar aan en barstten in lachen uit. 'Het was zóóó grappig. Toen Izzie binnenkwam en Honey in onze kamer zag, sprong ze bijna uit haar vel, schat. Ze keek Honey zo pissig aan dat haar collageen er zowat van wegsmolt!'

'En wat deed Honey?' vroeg Clemmie, met haar kristalblauwe ogen wijd opengesperd van nieuwsgierigheid.

Georgina haalde haar schouders op. 'Je weet hoe ze is. Ze wilde al een grote mond opzetten, maar Izzie keek haar aan alsof ze haar ging slaan, dus toen bond ze in en ontkende ze alles. Laten we het zo zeggen: ik denk niet dat ik Honey dit trimester vaak op mijn kamer zal tegenkomen.'

Ik stelde me dus niet aan. 'Maar wacht eens even. Als ze niet op haar eigen kamer terechtkan vanwege Fen en Perdita, en ze kan niet naar jou vanwege Izzie, waar zal Honey dan naartoe gaan?' vroeg ik, terwijl ik mijn best deed om niet te wanhopig te klinken.

'Ik zit bij Portia en Arabella op de kamer,' zei Star. 'Dus bij ons durft ze zeker niet te komen.'

'Maak je geen zorgen, schat,' zei Indie, die mijn gedachten had gelezen. Ze sloeg troostend een arm om me heen. 'Mij kan ze ook niet uitstaan.'

Dat was waar, maar hoewel Indie haar uiterste best zou doen, was haar aanwezigheid waarschijnlijk niet genoeg om Honey buiten de deur te houden. De zwakke schakel was Clemmie, die altijd superaardig was tegen iedereen, zelfs tegen Honey. Ik was vanaf mijn eerste dag op het Sint-Augustinus het mikpunt geweest van Honeys pesterijen. Ik werkte met mijn Amerikaanse accent en mijn gebrek aan voorname voorouders en oud geld op haar als een rode lap op een stier. Het was net zo onvermijdelijk als bruine prut op zondag. Onze kamer zou Honeys nieuwe martelkamer worden.

En toen, alsof er duivelse krachten in het spel waren, kwam Honey onze kant op lopen. Haar in het oranje geklede bodyguard volgde haar op serene afstand. 'Laters, meiden. Ik ga weer naar binnen,' zei ze zuchtend, terwijl ze haar peuk bij mijn voeten uitdrukte en zich inspoot met Fébrèze om de rooklucht te verdrijven. Toen bevestigde ze mijn grootste angst door er tegen Clemmie aan toe te voegen: 'Ik zie je straks, Clems. Ik zit dit trimester bij jou op de kamer. Fen en Perdita zijn te polo voor woorden, en ik heb je zóóó veel te vertellen.'

'Laters,' zei Clemmie, terwijl ze lief naar Honey glimlachte.

'Laters,' zeiden we allemaal tegen Honeys rug, die blauw zag van de kou. Maar voor mij kon dat 'laters' niet laat genoeg zijn.

'Ik wíst het gewoon. Die is straks niet meer van onze kamer af te slaan,' barstte ik los, toen ze buiten gehoorsafstand was.

'En, heb je Freds al gedumpt?' vroeg Star, om op haar gebruikelijke radicale manier van onderwerp te veranderen.

'Waarom zou ik in godsnaam Freds dumpen?'

'Eh… omdat je van hem in slaap valt?'

'Dat is helemaal niet waar!'

'Nou, maar je valt hem anders wel tegen.'

'Doe niet zo raar. Ik val hem helemaal niet tegen.'

'O, waarom zei je dat dan?'

'Dat héb ik niet gezegd.'

'Wel waar. Dat is trouwens ook zoiets. Jij kunt alleen maar *ad infinitum* over Freds praten.'

Ik overwoog even om flauw te vallen, om van dit vervelende, zinloze gesprek af te zijn, maar toen viel Georgina Star bij. 'We zijn inderdaad altijd veel te veel met jongens bezig.'

Ik keek van de een naar de ander. Plotseling voelde ik me omringd door jongenshaters. 'Jongens zijn een wezenlijk onderdeel van het bestaan!' bracht ik naar voren.

'Ik vind jongens best leuk. Nou ja, om te zoenen in ieder geval,' zei Clemmie. Ze keek bijna net zo ontzet als ik.

Indie was zo te zien ook niet verrukt van het idee om jongens te dumpen. Ze had er niets over gezegd, maar ik was er vrij zeker van dat ze de hele vakantie aan Malcolm had lopen denken.

Toen keek Star haar recht aan en zei: 'Ik ga me meer met mijn muziek bezighouden. Net als Indie.'

Indie knikte uitdrukkingsloos, verblind door Stars megasterke persoonlijkheid. Bovendien was er het kleine detail dat ze Malcolm nog niet echt had versierd.

'En Malcolm dan?' vroeg ik, om haar te testen.

'Wie is dat?' vroeg ze, terwijl ze verward met haar chocoladebruine ogen knipperde – alsof ze helemaal niet stapelverliefd op hem was.

Ik keek mijn vriendinnen een voor een aan. Ze zaten allemaal in het complot. Het kwaadaardige complot om Freddie te dumpen.

Dus viel ik flauw.

Op de bres voor het koninkrijk

'Ik ga Freds niet dumpen,' zei ik flink tegen Star, nadat ze Brian boven op me had gelegd om me bij te brengen. Ze had hem zelfs gedwongen om me een zoentje te geven met zijn heen en weer flitsende slangentongetje. 'Ik heb er mijn hele leven over gedaan om een prins te versieren en nu het goed gaat, ben ik niet van plan om hem te laten schieten.' Ik gaf haar Brian terug.

'Maar we kunnen toch evengoed nog wel jongens versíéren?' smeekte Clemmie weer. Jongens versieren was tenslotte haar favoriete bezigheid. Het gekke met Clemmie was dat ze de jongens die ze had versierd, meteen weer dumpte. En daarna dacht ze nooit meer aan ze.

Star negeerde haar. Ze legde haar handen op mijn schouders en keek me recht aan. 'Je krijgt het veel te druk voor Freds, schat. Je hebt niet alleen je schermen en je GCSE-examens, maar je hebt ook beloofd dat je Indie en mij zou helpen met onze songteksten, weet je nog wel?'

Oeps. Dat was ik bijna vergeten. Ik had beloofd dat ik teksten zou schrijven voor de band van Indie en Star. Ze maken vooral supersombere composities over hun afschuwelijke bestaan als rockroyalty (of in Indies geval als echte royalty) en over hun leven op de exclusiefste kostschool van Engeland. Hoe lief ik Star en Indie ook vind, hun liedjes geven me altijd een gevoel alsof ik naar mijn eigen begrafenis zit te luisteren. Star weet dat

44

tekstschrijven niet haar sterkste kant is, dus toen Indie het vorige trimester bij ons op school kwam met haar gitaar, bedacht ze dat het de muziek ten goede zou komen als we onze talenten zouden bundelen. Zij zou zingen en basgitaar spelen, Indie zou de lead-gitaar spelen – oftewel 'de zes snaren van de duivel', zoals pater Conway het noemt – en ik zou de teksten schrijven.

'Maar ik heb nog niets op papier,' bekende ik. 'Ik bedoel, Bob en Sarah zijn nu hier en…'

'Dat weet ik, dat bedoel ik nou precies. We hebben allemaal zóóó veel te doen. Jongens lopen ons alleen maar in de weg. Bovendien, Freds is veel te normaal voor jou.'

Ik wilde maar dat ze dat niet steeds zei.

'Star heeft gelijk,' zei Georgina, terwijl ze Dorothy op het bevroren gras zette om een beetje rond te hippen.

'*Et tu*, Georgina?' riep ik uit, met een gevoel alsof er een dolk in mijn hart werd gestoken.

Ze gaf me een vriendschappelijk zetje. 'Jongens versieren is leuk, maar dat gedoe met die vriendjes is zo langzamerhand *très*, *très*, *très* vervelend aan het worden, schat. Maar ik wil je niet kwetsen, hoor.'

'En de liefde dan?' vroeg ik, diep gekwetst.

'Nou zou ík wel willen flauwvallen,' steunde Star. 'Ik heb Kev gedumpt, en aan hem had ik nauwelijks werk, schat.' Wat ze eigenlijk bedoelde, was dat hij alles deed wat ze zei. 'Freddie is echt véél te bewerkelijk.'

'We hebben het hier niet over een dieet of zo,' zei ik nijdig. 'Hij is mijn vriendje. Wat is er gebeurd met "in goede en slechte tijden"? Het is toch niet zo dat we hele dagen bij elkaar zitten? Ik ben steeds hier, op school. Nou ja, behalve dan in de vrije weekends, en op zaterdag, na de les.'

'Hoe vaak per dag sms je met hem?' vroeg Georgina, terwijl ze een vlecht maakte in haar lange blonde, gewillige haar.

'Weet ik veel. Een keer of wat.' Ik haalde mijn schouders op en streek door mijn weerbarstige blonde haar, dat nooit doet wat ik wil.

'Een keer of twintig, dertig?' vroeg Star, terwijl ze haar armen over elkaar sloeg en een gezicht trok als een zure vrouw in de overgang.

Ik haalde weer mijn schouders op. 'Misschien wel. Ik hou het niet precies bij.' Ik probeerde mijn haar uitdagend over mijn schouders te gooien, maar het bleef plakken aan mijn lipgloss en ik had daarna een paar minuten werk om het los te peuteren. Ik pakte Dorothy op, deels omdat ik bang was dat haar pootjes zouden bevriezen, maar ook om emotionele steun te zoeken. Ze wrong zich in allerlei bochten om los te komen.

'Oké, laten we er even van uitgaan dat je hem twintig keer per dag sms't,' stelde Georgina voor. 'En laten we dan voor het gemak aannemen dat hij je twintig keer terug-sms't. Dat betekent dat je veertig sms'jes moet lezen en herlezen.'

'Dat heb je waanzinnig knap berekend, schat,' zei ik sarcastisch. En om te pesten zei ik erachteraan: 'Misschien moet je met Mr. Templeton trouwen.' Mr. Templeton was onze afschuwelijke onderkruiper van een wiskundeleraar, die zelfs die lieve, oude Einstein een afkeer van rekenen zou hebben bezorgd.

Maar Georgina rolde alleen maar met haar ogen.

'Daar komt nog bij dat je altijd uren zit te dubben over wat je moet sms'en. En daarna ga je weer eindeloos analyseren wat hij jou heeft ge-sms't,' voegde Star eraan toe.

'Dat is hélemaal niet waar,' loog ik.

Star en de anderen begonnen allemaal te grinniken. Het was misschien wel waar dat ik veel sms'jes eerst naar Star stuurde voor ik ze opstuurde naar Freds. Maar daarom hoefde ze dat nog niet zo bot te zeggen.

'Ik heb toch zóóó vaak oeverloze discussies met je gehad, Calypso, over hoeveel kusjes je Freddie moest sturen en wat de betekenis was van het aantal kusjes dat hij jou stuurde. En dan zijn er ook nog eens al die sms'jes die je me van tevoren toestuurde.'

De verraadster! 'Hah!' was het enige wat ik wist uit te brengen. Ik keek naar Clemmie en Indie om bij hen steun te zoeken, maar hun ogen bleven strak op Star gericht. Star kan *très, très* overtuigend zijn.

'Ik vind gewoon dat we dat gedoe met jongens een beetje in de juiste verhoudingen moeten zien, Calypso.'

'Wat betekent dat, "in de juiste verhoudingen zien"?' vroeg ik, terwijl ik als een gek met mijn ogen rolde.

'Dat betekent dat we ons minder moeten bezighouden met vriendjes en meer tijd moeten besteden aan de dingen die we écht graag doen, zoals muziek maken en schrijven.'

'Ik vind het eigenlijk alleen maar leuk om jongens te versieren,' merkte Clemmie op.

Ik kon haar wel zoenen.

Star keek naar onze lieve jongensgek en glimlachte. 'Jongens versieren is prima, daar heb ik het niet over. Het wordt alleen vervelend als je te veel met één jongen omgaat en de hele dag aan hem loopt te denken.'

Ik vond het helemaal niet vervelend om de hele dag aan Freds te denken. Maar ik zei niets. Hij was het volmaakte vriendje. Hij had van dat grappige, zwarte haar, dat alle kanten op stond, en van die lippen die ik zo heerlijk kon zoenen, en hij gaf me altijd een fantastisch gevoel, behalve als hij teleurgesteld naar me keek. Maar dat was al niet meer gebeurd sinds... nou ja, sinds gisteren. Wat bewees dat hij blijkbaar aan mijn eigenaardigheden begon te wennen. En dus was dit niet het moment om hem te dumpen.

Star knipte met haar vingers voor mijn gezicht. 'Zie je nou! Kijk nou eens wat je doet, Calypso. Je drijft zó weg naar Freddieland. Ik zie het aan je ogen. Ze worden helemaal maanvormig.'

47

Iedereen begon weer vreselijk te lachen.

Er landde een sneeuwvlok op mijn neus. Toen er meer volgden, stak ik mijn handen in de lucht om ze op te vangen. Ik vond het meestal hartstikke leuk als het sneeuwde, maar op dat moment had ik alleen maar een afschuwelijk gevoel van naderend onheil.

Mijn moeder noemt me de Koningin van de Noodlotsvoorspellingen. Maar ja, zij denkt ook dat jongens me meer zullen respecteren als ik rubberlaarzen draag.

'Wat vond Kev ervan dat je hem dumpte?' vroeg ik aan Star, in de hoop de aandacht van Freds en mij af te leiden.

'O, hij moest huilen,' antwoordde Star. Als het Star niet was geweest, had ik erop durven zweren dat ik even een trilling in haar stem hoorde. 'En toen moest ik ook huilen,' voegde ze eraan toe. 'Het was een hele jankpartij, eigenlijk.'

'Dat is triest,' zei ik, maar ze haalde alleen maar haar schouders op terwijl we samen keken hoe de witte sneeuwvlokken op haar roze Doc Martens vielen.

'Jaaah, maar toen zei ik bij mezelf: Indie, Calypso en ik krijgen het hartstikke druk met Sloaney Trash. En toen maakte ik een radslag.'

'Wat is Sloaney Trash?' vroeg Clemmie.

'Zo gaan we de band noemen,' zei Indie. 'Dat hebben we gisteravond besloten.'

'Leuk dat ik het ook nog even hoor,' pruilde ik.

'We hebben je wel gebeld,' zei Indie. 'En we kunnen het nog veranderen. Het is maar een idee, maar we dachten dat je het wel een goede grap zou vinden.'

'En we hebben trouwens niet zomaar één keer gebeld,' voegde Star eraan toe. 'We hebben gebeld en gebeld en gebeld. Je was steeds in gesprek.'

O jee. Ik had de hele avond met Freds zitten bellen. Ze hadden maar één keer mijn voicemail ingesproken en toen ik die af-luisterde, was het al hartstikke laat.

'Ik ga Dorothy naar binnen brengen, voor ze bevriest,' zei Georgina, en ze ging ervandoor.

'Indie heeft een paar schitterende ideeën voor songteksten,' zei Star, terwijl ze met haar voet door het dunne laagje sneeuw schoof. 'De muziekvleugel is nu klaar en we kunnen de studio gebruiken. Je hebt altijd een echte schrijfster willen worden. Ben je niet blij, Calypso?'

'Jaaa, natuurlijk,' antwoordde ik aarzelend.

Ik had beter moeten weten. Star zat me altijd achter mijn vod-den zodat ik mijn dromen zou verwezenlijken. Het vorige tri-mester had ze me overgehaald om mee te doen aan een essay-competitie, die door een van de landelijke dagbladen was uitgeschreven. De winnaar was nog niet bekend. Niet dat ik ging winnen of zo. Dat hoopte ik tenminste niet. Volgens de regels moest je een autobiografisch verhaal schrijven over een trauma of een andere ellendige gebeurtenis in het leven van een tiener. Ik had de krankzinnige, kortstondige scheiding van mijn ouders als onderwerp gekozen, maar ik had daarbij wel de nodige artis-tieke vrijheid gebruikt om er een sappig verhaal van te maken.

Ik wist wel dat het autobiografisch moest zijn, maar wie wil er nou iets lezen over een duf, oud stel in een midlifecrisis? Nie-mand dus. En ik kon toch ook niet weten dat ze meteen nadat ik mijn essay had ingeleverd elkaar weer als een pasverliefd stel in de armen zouden vliegen? Als ik echt zou winnen, zou ik duizend doden sterven, want dan zou mijn essay in de landelijke pers worden afgedrukt en als Bob en Sarah het lazen, zouden ze me vermoorden.

Star stootte me aan. 'Gaat het een beetje, Calypso?' vroeg ze.

'Jaaa, ik zat alleen te denken aan het essay. Binnenkort wordt de uitslag bekendgemaakt.'

'O, mijn god!' gilde ze, met haar hand voor haar mond.

'Stel je voor dat je wint!' zei Clemmie.

Toen zei Star iets heel verschrikkelijks. 'Moet je nagaan, dan krijgt het hele land je essay te lezen.'

'Sarah en Bob zijn nu weer bij elkaar, ze zijn hartstikke verliefd. Ze gaan dood als ze lezen wat ik heb geschreven – maar eerst vermoorden ze míj,' zei ik.

'Ach, stel je niet aan, dat denk je maar,' zei Star, terwijl ze Brian weer om mijn nek probeerde te wikkelen. Het is een heel gedoe om steeds te doen alsof ik Brian leuk vind. 'Je piekert te veel, schat. Je moet niet overal zo diep op ingaan.'

'Dat doe ik helemaal niet!' protesteerde ik, hoewel het wel waar was.

'Dat doe je steeds. En sinds je Freds hebt toegevoegd aan je lijst van dingen om over te piekeren, ben je net een verliefde puppy die aan niets anders kan denken dan aan hem.' Star pakte me weer bij mijn schouders en keek me aan alsof ze me wilde hypnotiseren. 'Je bent vijftien, Calypso. Je leven begint nog maar net. Je moet er een beetje van genieten! Ik bedoel, je gaat toch niet met hem trouwen?'

O nee? Oké, waarschijnlijk niet, maar ik vond het toch ongelofelijk dat ze dit allemaal zei. Of eigenlijk ook niet. Ze was nooit een grote fan van Freddie geweest, maar het ergste was dat ze ook nog hartstikke koppig was. Zolang ik haar kende, had ze voor zover ik wist nog nooit een idee opgegeven. Neem die essaycompetitie. Ik had dat essay nooit geschreven als Star me er niet toe had gedwongen.

'Kom, meiden, mijn benen zijn helemaal blauw,' drong Georgina aan. Ze had Dorothy naar haar luxueuze, verwarmde hok gebracht. 'Laten we opschieten, voor we in sneeuwpoppen veranderen.'

De slaapvertrekken hadden een complete gedaanteverwisseling ondergaan. De ouders waren naar huis en Indies bedienden hadden onze slaapkamer omgetoverd in een plaatje uit een blad voor binnenhuisarchitectuur. Overal in de kamer lagen paarsfluwelen kussens met goudborduursel, en op onze bedden lagen de mooiste paarsfluwelen spreien. Alleen de oude olieverfschilderijen van heiligen en de vuurrode paniekknoppen bij de bedden herinnerden ons er nog aan dat we op school waren. De paniekknoppen waren pasgeleden geïnstalleerd en waren bij mijn weten nog nooit gebruikt. Maar toen ik me op mijn bed liet vallen, had ik opeens een overweldigende behoefte om de mijne in te drukken.

Ondernemende initiatieven

We lagen allemaal languit op ons bed naar onze iPods te luisteren, onze sms'jes te bekijken en lusteloos onze tijdschriften door te bladeren, toen Miss Bibsmore de kamer in kwam hobbelen. Ze had weer een stuk vloerbedekking onder haar wandelstok geplakt, waardoor we haar niet hadden horen aankomen.

'Hallo, meisjes,' riep ze met krakende stem.

Ik denk dat ik namens iedereen kan zeggen dat het een schok was haar te zien. Ik bedoel, Miss Bibsmore had toch al niet wat je noemt een atletisch figuur, maar nu stond ze nog verder over haar stok gebogen dan anders. Het enge was dat ze een paar enorme pluchen hondensloffen aan haar voeten had, met grote hangoren en plastic ogen. Dierensloffen zijn de rigueur voor huisloeders, maar toen ik de groezelige, oude ochtendjas met daaronder het flanellen bloemetjesnachthemd zag, wist ik niet meer wat ik ervan moest denken.

'Alles goed met u, Miss Bibsmore?' vroeg ik, een beetje bezorgd.

'Ja, hoor, liefie, maak je over mij maar geen zorgen. Ik ben alleen een beetje gammel – de overgang, zie je. Mijn baarmoeder bezorgt me voortdurend pijn en mijn rug speelt op. Het is een wrede god die ons de vloek van de hormonen heeft opgelegd, liefie, dat kan ik je wel vertellen.'

Alsof iemand op dit soort diepzinnigheden zat te wachten! We wisten geen van allen wat we moesten zeggen, dus knikten we alleen maar.

'Jullie hebben alles al uitgepakt, zie ik,' merkte Miss Bibsmore goedkeurend op. 'Dat kan ik niet van iedereen zeggen.' Met die woorden keek ze naar de deur, en toen ik me omdraaide, zag ik Honey staan.

'Wat zoek jij hier, dame?' vroeg Miss Bibsmore aan mijn antivriendin. 'Dit is bij mijn weten jouw kamer niet.'

Honey bindt altijd de strijd aan met huisloeders en wie ze verder nog maar als minderwaardig beschouwt. In principe dus met iedereen die niet bereid is een foto van haar te maken en in de *Tatler* te plaatsen. Maar Miss Bibsmore trok zich niets van Honeys venijnige schimpscheuten aan. Dat was waarschijnlijk de reden waarom Honey alleen zei: 'Ach, hou toch je kop, achterlijk oud wijf,' en verongelijkt wegliep. Naar Honeys maatstaven een milde reactie.

'Hoe is uw kerst geweest, Miss Bibsmore?' vroegen Indie, Clemmie en ik, terwijl we een van onze oordopjes uit ons oor trokken.

'O, geweldig, liefies, in één woord geweldig.' Haar ogen gleden door de kamer, die godzijdank schoon was. 'Jullie hebben er hier iets moois van gemaakt, meisjes,' merkte ze op, terwijl ze de kamer door hobbelde om aan de gordijnen te voelen. 'Echte zijde nog wel. Chic, hoor. Ik wed dat dat allemaal uw werk is, Hoogheid.'

'Ik zou het echt fijn vinden als u me Indie zou noemen, Miss Bibsmore,' zei Indie, terwijl ze haar hoofd op de muziek bleef meebewegen.

'O, dat kan ik niet doen, Hoogheid,' zei Miss Bibsmore ontzet. 'Dat hoort niet. U bent tenslotte een echte prinses.'

Feit was dat er heel wat meisjes van adel bij mij op school

zaten, onder wie een paar prinsessen, talloze gravinnen en lady's en een enkele hertogin. Maar niemand werd met 'Hoogheid' aangesproken, behalve Indie. Het wordt als *de trop* beschouwd om op school je titel te gebruiken. Freds is de Engelse troonopvolger, maar zelfs hij gebruikt nooit zijn titel. Het was gewoon zo dat Indie met haar charme Miss Bibsmores hart had gestolen.

'Nou, dan ga ik maar. Die ellendige reuma speelt me weer parten,' kreunde ze, waarna ze Clemmie waarschuwde: 'Pas op dat je niet met je schoenen op de sprei van de prinses komt, Miss Fraser Marks.'

'Oké,' antwoordde Clemmie, met haar neus in haar *Tatler*.

'En hoe is het met die arme moeder van je, Miss Kelly? Ik heb gehoord dat ze nog wat langer in Engeland blijft nu je vader is overgekomen.'

'Ja, Miss Bibsmore.'

'Dat is fijn voor je, liefie. Ik had het al gehoord. Van de nonnen, zie je. Die houden wel van een praatje. Niet dat ik ooit roddel, hoor.'

'Nee, Miss Bibsmore,' antwoordden we, op ons gehoorzaamste Sint-Augustinus-toontje.

'Goed, dan ga ik weer verder met mijn ronde. Dag, meisjes. Tot ziens, Hoogheid.'

'Dag, Miss Bibsmore,' riepen we haar na, alsof haar bezoek het hoogtepunt van onze dag was geweest.

'En, wat vinden jullie van Stars idee om onze vriendjes te dumpen?' vroeg ik nonchalant, alsof ik niet wanhopig uit was op de steun van mijn kamergenoten.

'Ik heb geen vriendje,' antwoordde Indie, terwijl ze lui de sms'jes op haar schitterende paarse mobieltje checkte.

'En Malcolm dan?' vroeg ik, in de hoop haar op stang te jagen.

Jammer genoeg hoefde ze daar geen antwoord op te geven, want op dat moment riep Clemmie: 'Ze zei niet dat we geen jongens mochten versíéren, we moeten alleen niet steeds om één bepaalde jongen heen hangen.'

Ik keek naar Indie, maar die was nog steeds druk bezig met haar mobiel. Blijkbaar maakte ze zich totaal niet druk over Stars plannen.

Ik besloot een bezoekje te brengen aan Lady Portia Herrington Briggs. Zij zat met mij in het nationale sabelteam en sinds Star met schermen was gestopt om zich helemaal aan haar depri muziekcomposities te wijden, was zij mijn schermpartner geworden. Aangezien Star en Portia dit trimester bij elkaar op de kamer zaten, vroeg ik me af of Star Portia zou lastigvallen over haar vriendje, Billy, die toevallig de oudere broer was van Kev. De datingcontacten op Engelse kostscholen zijn *très*, *très* incestueus.

Portia heeft zo'n supercoole, aristocratische manier van doen. Ze is afstandelijk, zonder ook maar een piepklein beetje arrogant te zijn. Ik heb haar nog nooit uit haar evenwicht gezien, en ze doet ook nooit gek, zoals andere tieners. Zelfs als we schermen blijft haar prachtige, dikke, lange, zwarte haar altijd mooi zitten, net als in de shampooreclame. Als ze niet zo aardig en lief was, zou je met al die perfectie gemakkelijk een hekel aan haar kunnen krijgen. Maar dat is niet zo. Niemand heeft ooit iets vervelends over haar te zeggen, en toch is ze geen doetje. Zelfs Honey gaat niet zo belachelijk tekeer als Portia in de buurt is.

Toen ik binnenkwam, hadden Star, Portia en Arabella een meisje van het Lower Sixth op hun kamer, dat spuuglelijke, handgemaakte sieraden kwam verkopen in het kader van het Plan ter Bevordering van de Ondernemingszin. De bedoeling van dat plan was meisjes de vaardigheden bij te brengen die nodig zijn om ondernemende zakenvrouwen te worden. Ik vond dat nogal hoog gegrepen. In werkelijkheid kwam het erop neer dat de leerlingen alles kochten waar het Lower Sixth mee kwam aanzetten, omdat de opbrengst bestemd was voor het zondags-souper, een traktatie die speciaal voor ons jaar was weggelegd.

Ik pakte een van de opzichtige plastic kralenkettingen en vroeg hoeveel die kostte.

'Tien pond. We organiseren een supergave muziekavond en we huren de catering van het Eades in om een echt Burns Night-feestmaal aan te richten,' legde het oudere meisje uit. 'Zonder haggis, natuurlijk.'

'Wat laten jullie dan voor eten komen?' vroeg ik opgelucht, terugdenkend aan de afschuwelijke haggis van vorig jaar. Burns Night is net zo'n maffe Schotse traditie als paalwerpen, de reel dansen en kilts dragen. De Schotten zijn echt niet goed snik. Kijk maar naar Clems en Malcolm. Maar Burns Night is wel leuk, want dan herdenken ze hun nationale dichter, en dichters worden naar mijn idee veel te weinig herdacht.

'Een enorme pizza,' antwoordde het meisje van het Sixth.

'Cool.'

'Het echte nieuws is dat wij gaan optreden,' zei Star, terwijl ze haar arm naar voren stak, die vol hing met kleurige kralenarm-banden. 'Dus kopen maar, schat.' Hoewel het Ondernemersini-tiatief veel wanproducten oplevert, zoals foeilelijke sieraden en sweaters met belachelijke opschriften, kopen en dragen we ze al-lemaal. Het heeft iets van een cult. Af en toe duiken er zelfs spul-len op op eBay, waar ze voor belachelijk hoge prijzen van de hand gaan aan meisjes die er te laat bij waren. Het probleem is dat dit soort cultvoorwerpen enorm tijdgevoelig is. Een Onder-nemersinitiatief van vorig jaar is echt uit. Daar wil je nog niet dood mee gevonden worden.

'Wauw, cool, dus Indie en jij gaan spelen. Weet Indie het al?' vroeg ik.

'Nee, maar ik vertel het alvast aan jou,' zei Star. 'Want jij moet de teksten schrijven. Het wordt ons eerste grote optreden en als het goed gaat, kunnen we de nummers op cd zetten. Je had toch gezegd dat je een paar liedjes voor ons wilde schrijven?' Haar groene ogen straalden van aanstekelijk enthousiasme en op dat moment besloot ik dat ze waarschijnlijk gelijk had. Niet wat dat gedoe met jongens betrof, maar wel dat je je op je dromen moest concentreren. Het kon geen kwaad om eens te kijken of ik songteksten kon schrijven.

'Ik ben ermee bezig,' verzekerde ik haar, terwijl ik de afschuwelijke armbanden bekeek die me drie maanden zakgeld gingen kosten. 'Ik moet alleen even eh… inspiratie opdoen.'

Star rolde met haar ogen en schudde haar hoofd over deze zwakke smoes. Het leuke én vervelende aan beste vriendinnen is dat ze je zo goed kennen.

Ik kocht een bosje lelijke plastic armbanden en toen er groepjes meisjes de kamer binnenstroomden, glipte ik snel weg naar het dierenverblijf om Freds te bellen.

'Hoi,' zei hij. 'Wat is er?'

'Ik wilde alleen even je stem horen,' zei ik, terwijl ik keek hoe Hilda zich een ongeluk rende in haar rattenmolentje. 'En ik wilde horen of het zaterdagmiddag nog doorgaat,' voegde ik er nonchalant aan toe, voor het geval hij net als Star dacht dat ik een verliefde puppy was.

'Zeker,' zei hij, waarna hij alles verpestte door eraan toe te voegen: 'Als er tenminste niets tussenkomt.'

Vrede, liefde en boeddhistische beveiliging

De volgende ochtend sliepen Clemmie, Indie en ik door de bel van kwart voor zeven heen. Na de derde bel moest Miss Bibsmore ons tussen de ribben komen porren met haar stok. Het was toen al tien over zeven, zodat we precies twintig minuten hadden om onze tanden te poetsen, onze afschuwelijke uniformen aan te trekken en als een gek naar de eetzaal te rennen om vóór de mis nog even snel wat eten naar binnen te werken. Ik kon nergens mijn walgelijke bruine plooirokken vinden.

Clems bood me er een van haar aan, die bij mij onfatsoenlijk kort viel. Ik kreeg zo vast een blauwtje, of anders wel een BOG (= Bestraffing voor Onbetamelijk Gedrag).

Gelukkig wisten we na vier jaar precies hoe we zo snel mogelijk langs de smalle stenen trappen beneden moesten komen. In de eetzaal gristen we vlug een paar croissants mee (in iedere zak één) en sloegen we een beker warme chocolademelk naar binnen.

Toen we eindelijk de kapel binnenglipten, was de mis al begonnen. Pater Conway hield een eindeloos zeurverhaal over ons sterfelijk lichaam, dat toebehoorde aan de Heilige Maagd Maria en dat we door niemand mochten laten bezoedelen. Ik hoopte dat de zuster van de ziekenzaal meeluisterde. Zij bezoedelde ons lichaam altijd met gemene injecties.

Alsof ze mijn gedachten had gelezen, fluisterde Indie: 'Dat

moeten we volgende keer maar tegen de zuster zeggen als ze ons een griepprik geeft,' waarop ik een enorme giechelbui kreeg.

De eerste dag na de vakantie is er altijd een volledige Latijnse mis. Daarna moeten we nog twintig minuten bidden en zingen en dan zijn we klaar, tenzij het een feestdag is. Ik hoorde mijn maag knorren en had heel veel zin om stiekem een hap van mijn croissant te nemen, maar die heiligschennis zou zelfs Honey te ver gaan. Uiteindelijk beëindigde pater Conway zijn dienst met de vurige wens dat het weer een succesvol schooltrimester zou worden, en, omdat het nieuwe jaar net was begonnen, een *annus mirabilis*.

Na de mis moesten we als een gek naar boven voor de kamerinspectie. Ik keek nog even snel of ik die verrekte rokken van me ergens zag liggen, maar blijkbaar waren die in rook opgegaan. Waarschijnlijk durfden ze zich niet te vertonen met mijn belachelijk lange staakbenen.

Ik voelde me zo opgelaten in Clems superkorte rokje dat ik een speciale hardloopmethode ontwikkelde: met gebogen knieën en het rokje zo ver mogelijk naar beneden getrokken. Terwijl ik zo door de gangen rende, liep ik Honeys nieuwe bodyguard tegen het lijf. Ik zou wel eens de ontvoerder willen zien die de moed had om het tegen Honey op te nemen. Deze man in zijn oranje gewaad zag er anders niet erg afschrikwekkend uit. Maar misschien zou hij de ontvoerders met meditatie tot overgave dwingen?

'Sorry, miss,' zei hij, toen ik met mijn hoofd tegen zijn in het oranje gehulde knieën botste.

Zuster Constance had het niet zo op bodyguards. Op het Eades hoorden ze zo'n beetje bij het meubilair. Ze hadden daar zelfs hun eigen woonblok, met als gevolg dat allerlei trieste figuren beveiliging inhuurden, alleen maar om hun eigen belangrijkheid te onderstrepen.

'Geeft niet,' zei ik. 'Het was mijn schuld.' Terwijl ik me sjorrend aan mijn rok uit de voeten maakte, hoorde ik Honey gillen dat ze me alle hoeken van de rechtszaal zou laten zien als ik haar bodyguard had beschadigd.

'Wat is er aan de hand?' vroeg Portia, nadat ik zo onopvallend mogelijk de klas in was gestrompeld en naast haar was komen zitten. We hadden Latijn en Portia en ik waren samen met nog twee anderen de enige leerlingen die in dat vak een GCSE-examen deden. Om de een of andere onbegrijpelijke reden vinden ouders kleine klassen altijd geweldig. Maar zíj hoeven zich niet zonder steun van wie dan ook bloot te stellen aan krankzinnige types als Miss Mills.

'Mijn rokken zijn onvindbaar,' legde ik uit. 'Clems heeft me een van de hare geleend, maar die is te kort.'

Portia glimlachte. 'Je mag er wel een van mij lenen, schat. Wij verschillen in ieder geval niet zo veel in lengte. Zeg, luister eens, ik ben in de vakantie niet toegekomen aan die vertalingen die we moesten maken. Denk je dat Miss Mills me gelooft als ik zeg: "*Canis meus id comedit*"?'

Ik schoot in de lach terwijl ik terugdacht aan de maffe vertalingen waarmee we ons het vorige trimester hadden vermaakt tijdens de duffe Latijnse lessen. 'Heeft je hond ze opgegeten?'

'Zou ze daar in trappen, denk je?'

'Hier,' zei ik, terwijl ik mijn boek naar haar toeschoof. 'Je kunt beter de mijne overschrijven.' Een paar halfgare meiden uit het Lower Sixth hadden me wijsgemaakt dat je voor oude talen gemakkelijk hoge cijfers zou kunnen halen. Ik dacht dat dat betekende dat je tijdens de les lekker kon slapen en kletsen, maar met die illusie maakte Miss Mills snel korte metten. Direct na binnenkomst begon ze die ochtend als een gek het oude *In nomine patris, et filii et spiritus sancti* af te ratelen, en daarna leuterde ze *ad absurdum* door over het vele werk dat we het komende trimester moesten verzetten.

Wat dacht ze nou eigenlijk dat Latijn was? Een levende taal of zo? Echt, leraren zijn een heel aparte diersoort. Het bewijs daarvan werd onomstotelijk geleverd toen ze ons een boekje gaf met de titel (ik verzin het niet): *Hoe je kunt slagen voor je examen (en plezier kunt hebben)*.

Ik snap soms echt niet waarom ik überhaupt nog naar de les kom. Op de omslag stond een plaatje van een skateboarder. Serieus, wat heeft een skateboarder nou met slagen voor Latijn te maken? Niets dus. En bovendien zijn skateboards en de kleren die daarbij horen op onze school verboden.

Het werd er niet beter op toen we het boekje op Miss Mills' aandringen opendeden. Het bleek vol te staan met de idiootste aanbevelingen, zoals: 'Verwerk je aantekeningen in *mind maps*.'

Ik bladerde verder naar een pagina die was versierd met stripfiguurtjes, dikke tv-presentatoren en muzieknoten, waarop ons werd aangeraden 'VISUEEL, MONDELING, AUDITIEF en KINESTHETISCH' te leren. Portia en ik keken elkaar aan en schudden ons hoofd.

Ik schoof Portia een briefje toe.

Ik botste net in de gang tegen Honeys bodyguard op.

Ze schoof een briefje terug.

Hij lijkt me vreemd aardig voor een Honey-persoon.

Ik schreef terug:

Wie zou Honey nou willen ontvoeren?

Portia schreef:

Misschien heeft iemand een huurmoordenaar ingeschakeld?

Ik antwoordde:

Ze hebben me nog niet gevraagd om mee te betalen.

En toen begonnen we net zo te lachen als die Lachende Cavalier uit de Wallace Collection in Londen. Daar zijn we in het achtste jaar een keer naartoe geweest voor een excursie kunstgeschiedenis, maar Star en ik zijn er toen stiekem tussenuit geknepen om bij Selfridges pruiken te passen. Het was echt een *très, très* verrijkende culturele ervaring.

We moesten zo verschrikkelijk lachen dat ik van mijn stoel rolde. Zelfs Portia, met haar gereserveerde houding en haar eeuwenoude familiegeschiedenis, kon nog maar net haar evenwicht bewaren.

Miss Mills torende dreigend boven me uit, terwijl ik languit op de grond lag. In plaats van iets aardigs te zeggen, zoals: 'Heb je je bezeerd, liefje?', griste ze onze briefjes van tafel en begon ze te lezen.

Ik weet zeker dat het verboden is om andermans persoonlijke correspondentie te lezen. Maar, dacht ik hoopvol, zelfs dat oude kreng van een Miss Mills zal hier toch wel de grap van inzien? Nee dus. In plaats van te delen in onze hilariteit, liet ze ons nablijven om onze briefjes in het Latijn te vertalen. Echt, voor sommige leraren zouden ze een Wet tegen Humorloosheid moeten uitvaardigen.

Door haar stomme straf waren we te laat voor onze schermles, waar we in de lunchpauze naartoe moesten. We renden als gekken door de gangen. Nou ja, dat wil zeggen, ík liep als een gek, want ik moest onder het rennen steeds Clems piepkleine rokje naar beneden sjorren, om mijn onderbroek bedekt te houden. Terwijl we even stilstonden om een non te laten passeren, vroeg ik Portia hoe het ging met Billy. Ik had de stille hoop haar steun te winnen in de strijd tegen Stars plannen om alle jongens te dumpen.

'Ik heb hem gedumpt,' zei ze.

Ik viel flauw.

Oké, ik viel niet écht flauw, want Portia stootte me aan en zei: 'Grapje, schat.'

Maar toen vervolgde ze: 'We hebben wel afgesproken dat we elkaar een poosje niet zien. In ieder geval tot na de GCSE-examens. Het wordt anders te veel stress, vooral nu we allebei in het nationale team zitten. Ik verheug me ontzettend op Italië, jij ook niet, schat? Ik heb gehoord dat de Italianen na de Hongaren de beste schermers ter wereld zijn. Eigenlijk hebben Billy en ik afgesproken dat het schermen en de examens nu op de eerste plaats komen.'

En toen viel ik wél flauw.

Honeys boeddhistische bodyguard hielp me overeind – en zag daarbij mijn onderbroek. Heel gênant, want die was ooit wit geweest, maar was helemaal grijs geworden in de was.

Honey kreeg meteen een typische Honey-aanval. 'Hoe haal je het in je hoofd om mijn bodyguard te gebruiken? En jij, Siddharta, moet te allen tijde je ogen gericht houden op je opdrachtgeefster. Terwijl je aan haar zat, had iemand míj wel kunnen ontvoeren.'

Siddharta keek beschaamd. 'Sorry, miss,' zei hij tegen zijn opdrachtgeefster.

'Mijn vader betaalt je om míj te bewaken, niet háár,' gilde ze, terwijl ze een van haar lange, scherpe nagels naar me uitstak. 'Wie zou háár nou willen ontvoeren?'

Eerlijk duurt niet lang

*P*ortia en ik moesten er snel vandoor, want we stikten bijna van de lach en we konden voor het schermen geen steken in onze zij gebruiken. Nu we waren geselecteerd voor het nationale team en naar Italië gingen voor ons eerste internationale toernooi, hadden we gezworen zo veel mogelijk tijd te besteden aan extra oefening. Het Italiaanse schermteam was een van de beste ter wereld, dus dat was een hele uitdaging.

Onze Zuid-Afrikaanse schermmeester, Lullo, was zo gek als een aardappel. Hij zat op de grond in de *Sword* te lezen. Hij keek niet op toen we binnenkwamen, dus liepen we snel langs hem heen naar de kleedkamer. We waren helemaal opgewonden, want dit was de eerste keer dat we in onze internationale schermuitrusting met GBR erop gingen schermen.

Onze schermkleren pasten zo perfect dat we even als een paar Milanese modellen rondparadeerden en zeiden: '*Mamma mia*' en '*Ooo la la*'. Het was een van die fantastische *va-va-va-voum*-momenten die ik nooit zal vergeten. Ik vond dat ik er geweldig uitzag in mijn nieuwe spullen. Ik kon bijna niet wachten om ze aan Freds te laten zien. Het was allemaal zo waanzinnig opwindend.

Toen we voor de dag kwamen, was Lullo nog steeds verdiept in zijn tijdschrift, alleen lag hij nu op zijn buik, met zijn kin in zijn handen. Ik keek naar Portia, en zij keek naar mij, zoals je doet wanneer je je afvraagt of een leraar het dwangbuizensta-dium heeft bereikt.

Ik deed mijn 'dit is gênant'-kuchje.

Portia klopte me op mijn rug en vroeg: 'Komen we misschien ongelegen, meneer?', op zo'n kalme, beheerste toon, die je al-leen van de ware adel kunt verwachten.

Lullo keek naar ons op alsof we een stel vreemden waren. 'Ik ben niet in de stemming om te schermen,' antwoordde hij nors.

'Zullen we dan later terugkomen, Mr. Mullow?' vroeg Portia. Gelukkig dacht ze eraan om zijn echte naam te gebruiken.

'Doe maar,' mompelde hij, als een nukkig kind.

Hoezo, irritant? 'Maar meneer, we moeten ons voorbereiden op ons eerste internationale toernooi, in Italië,' protesteerde ik, zonder me iets aan te trekken van Portia's waarschuwende blik. Echt, als ik een Bibsmore-stok had gehad, had ik hem ermee tus-sen zijn ribben gepord.

Lullo keek glimlachend op. 'Zo mag ik het horen, Kelly! Laat je niet afschepen.' Toen sprong hij op, met de behendigheid die je van de winnaar van een zilveren olympische medaille kunt ver-wachten, en gaf me zo'n harde klap op mijn rug dat mijn vitale organen ongeveer naar buiten schoten. Voor zo'n klein, gezet mannetje is hij behoorlijk gespierd.

'Mooi! We beginnen met jou, Kelly. Briggsie, sluit haar aan op de aanwijsapparatuur.'

Portia sloot me aan.

Lullo greep een sabel en een masker uit de wapenkamer en sloot zichzelf aan op het elektrische apparaat dat onze punten moest registreren. Hij gaf me zijn gênante signatuurgroet. O, dat is toch zó triest. Zijn kling maakte een dreigend, zoevend ge-luid terwijl hij de letter M in de lucht schreef.

Hij gaf het startsein en schoof op een agressieve manier naar voren, met van die maffe kleine pasjes, die je het grootste deel van je schermcarrière oefent.

'Ik ben een Italiaanse, een arrogant, onvoorspelbaar, vervelend stuk vreten,' zei hij met zijn zware Zuid-Afrikaanse accent, terwijl hij een harde uitval deed.

Wat hebben leraren toch altijd met rollenspelen? Worden die soms van hogerhand voorgeschreven? Als dat zo is, moeten de ambtenaren die die dingen bedacht hebben maar met zijn allen tegen een muur worden gezet en met waterballonnen worden bekogeld, dacht ik. Ja, en toen was ik te laat. Voor ik het in de gaten had, had Lullo zijn sabel teruggetrokken en trof hij me hard op de borst.

'Au, dat doet pijn,' kreunde ik boven het geluid van de zoemer uit.

Eigenlijk hoor je je tegenstander niet overdreven hard te raken, maar Lullo wist net als ik dat je meestal heel wat kunt uitvreten voor je een rode kaart krijgt wegens agressief spel.

Lullo grinnikte meedogenloos, terwijl ik met mijn handen tegen mijn ribben geklemd naar de achterlijn terugstrompelde.

Leraren zijn toch altijd zóóó ontzettend grappig, maar niet heus.

Hij gaf weer het startsein.

We bewogen over de loper naar elkaar toe. Ik had pijn, maar ik was vastbesloten me te wreken. Lullo bleef in zijn rol. 'Ja, mijn vaders vader is gedood tijdens een duel. Ik ben bereid het spel smerig te spelen.' Echt, zijn nep-Italiaanse accent was niet om aan te horen.

Die man was rijp voor het gesticht. Ik wist zeker dat de school een vermogen kon verdienen door na zijn dood zijn hersenen te verkopen aan de wetenschap. Ze zouden van het geld alle techniekvleugels kunnen bijbouwen die ze maar wilden, bedacht ik, terwijl Lullo opnieuw in de aanval ging en een punt binnenhaalde. Die intellectuele bespiegelingen op de loper kwamen me duur te staan. Ik wist dat het een groot verlies was voor de mensheid, maar als ik me als sabreur wilde onderscheiden, moest ik de filosofie voor gezien houden.

'Ik ben een multitalent,' sprak mijn maffe schermmeester tergend vanaf de achterlijn, voor hij het spel hervatte. 'Ik heb mijn eerste stapjes gezet in de schermzaal en ik ken alle trucjes.' Terwijl we elkaar vastberaden naderden, raaskalde hij maar door. 'Ik weet dat ik vóór iedere rode kaart die ik krijg, altijd eerst wegkom met een paar overtredingen.' Hij lachte als een krankzinnige.

Ik deed een uitval.

'Ik ben natuurlijk wel zo slim dat ik niet te ver ga,' waarschuwde hij, terwijl hij zijn kling onder de mijne door schoof en met een slag tegen mijn arm mijn sabel uit mijn hand sloeg. En alsof dat nog niet erg genoeg was, gaf hij me ook nog een mep tegen mijn benen, terwijl ik onhandig naar mijn wapen grabbelde, dat zielig aan zijn verbindingskabel hing te bungelen.

'Dat mág helemaal niet!' schreeuwde ik door het plastic vizier van mijn masker. 'De benen zijn niet eens trefvlak!'

'Je hebt helemaal gelijk, Kelly.' Hij grinnikte. 'Het stoute Italiaanse meisje krijgt een waarschuwing, maar nog geen rode kaart, durf ik te wedden. Ze vindt het leuk om haar tegenstandsters uit haar evenwicht te brengen. En, ben je uit je evenwicht, Kelly? Ben je bang? Heb je kriebels in je buik? Krimpen je hersenen ineen van angst?'

'Ja, natuurlijk ben ik uit mijn evenwicht. Mijn schermmeester is stapelgek geworden. Welke leerling zou dan niet uit zijn evenwicht raken?' schreeuwde ik terug.

Hij speelde door, zonder zich ook maar iets van de regels aan te trekken. Iedere keer als ik hem wees op een overtreding of een schending van de etiquette, zei hij: 'O, maar dat heeft de scheidsrechter niet gezien,' of: 'Je hebt helemaal gelijk, Kelly. Weer een gele kaart voor die stoute Italiaanse.'

Toen ik doorkreeg dat deze halvegare op het punt stond me met zijn valse spel de overwinning door de neus te boren, werd het me te veel. Nadat er weer ten onrechte een punt werd toegekend aan het 'stoute Italiaanse meisje', flipte ik.

Ik rukte mijn masker af, zodat ik me goed verstaanbaar kon maken, en terwijl ik me naar mijn vriendin omdraaide, zei ik: 'Dat punt was ongeldig. Portia, dat zag jij toch ook?'

Portia wilde haar mond opendoen, maar Lullo stak zijn hand op voor ze iets kon zeggen. 'Dat is een rode kaart, Kelly. Je mag tijdens de partij je masker niet afzetten. Je tegenstandster is heel blij met je. Door jouw fout is ze nog maar één punt verwijderd van de overwinning. Als je van plan bent om over twee weken in Italië ook zo te spelen, kun je wel alvast een clownspak aanschaffen!'

'Achterlijke idioot,' mopperde ik, terwijl ik mijn masker weer opzette. Ik wist zeker dat geen enkel ander lid van het nationale team met zo'n irritante schermmeester opgescheept zat als wij. De anderen hadden ongetwijfeld allemaal aardige, redelijke, beschaafde schermmeesters, die zich fatsoenlijk gedroegen en zich keurig aan de regels hielden.

Maar in de woorden van iemand die tijd had voor vrijblijvend gefilosofeer: 'Het is niet aan ons te beredeneren waarom, het is slechts aan ons te doen of anders te sterven.' En als dat zo was, zat er maar één ding op: als we het gemeen gingen spelen, zou ik het nóg gemener spelen. Het volgende punt zou voor mij zijn. Daar zou ik wel eens even voor zorgen. Geen gestoorde Zuid-Afrikaan met een slecht Italiaans accent zou mij van mijn overwinning afhouden.

Ik deed een perfecte uitval en trof Lullo midden op zijn borst. Hah!

Ik wachtte op het triomfantelijke geluid van de zoemer, maar er kwam niets. Helemaal niets. Terwijl ik nog stond te wachten, liet Lullo zijn sabel op de mijne neerkomen, en meteen klonk het oorverdovende geluid van de zoemer, dat zijn overwinning aankondigde.

Ik rukte mijn masker af. Mijn ogen schoten vuur van nijd. 'Maar ik had ú getroffen!' zei ik. 'Portia heeft het ook gezien. U moet het gevoeld hebben, meneer!' Ik was woedend. Dit punt liet ik me mooi niet afnemen. Nooit van mijn leven. 'Er is vast iets niet in orde met uw vest!' hield ik vol, terwijl ik mijn sabel op de grond smeet.

'Goed gezien, naïef Amerikaantje. Een volgende keer kun je beter vóór de partij controleren of de elektronica werkt, en niet achteraf, als je tegenstandster al heeft gewonnen. Als je dat in Italië doet, maak je een erg onsportieve indruk, Kelly.'

Ik kon het gewoon niet geloven. Hier klopte helemaal niets van. 'Maar ik heb voor de partij mijn sabel getest op uw vest en toen werkte het!' zei ik tegen hem.

'Ah, dat heb je inderdaad gedaan, Miss Kelly. Dus vertel me maar eens, hoe heeft dat stoute Italiaanse meisje je je overwinning afgepikt?'

Ik was niet van plan me uit mijn tent te laten lokken. 'Best,' zei ik nors, 'het stoute Italiaanse meisje heeft gewonnen.' Ik draaide me om om weg te gaan. Ik vermoedde dat flauwvallen geen effectief wapen was in mijn strijd tegen Lullo. Waarschijnlijk zou hij me met zijn sabel doorboren terwijl ik in een hulpeloos hoopje op de grond lag.

'Geef je niet zo gemakkelijk gewonnen, Kelly. Kijk hier eens.'

'Wat?' vroeg ik, terwijl ik me naar hem omdraaide.

'Dit kleine schakelaartje hier,' zei hij, terwijl hij zijn sabel losmaakte van de elektrische bedrading en in de kom wees. 'Daarmee kan ik de elektrische verbinding aan- en uitzetten, net hoe het me uitkomt.' Hij gaf me zijn sabel, zodat ik het goed kon bekijken.

'O, jeetjemina!' riep ik, toen ik het kleine schakelaartje zag dat in de kom van zijn sabel was verstopt. 'Moet je dit zien, Portia.'

Lullo keek diep voldaan toe terwijl wij zijn gesaboteerde sabel inspecteerden. 'Hebben jullie de dvd's van de Olympische Spelen niet gezien?' vroeg hij.

Ik herinnerde me vaag een incident waarbij een schermer werd gediskwalificeerd omdat hij zo'n schakelaartje in de kom van zijn wapen had. 'Maar die vent werd gediskwalificeerd,' zei ik.

'Alleen omdat ze hem betrapten, Kelly. Die idioot drukte de schakelaar nota bene in terwijl zijn tegenstander nog kilometers bij hem vandaan stond. Je tegenstandsters in Italië zijn misschien niet zo onnozel. De les voor vandaag, meisjes, is niemand te vertrouwen.'

Vervolgens speelde Lullo een partijtje met Portia, op een volkomen legale, redelijke manier. Ze veegde de vloer met hem aan.

Het leven is toch zó oneerlijk. Ik had waarschijnlijk de rest van de dag de pest in gehad, als Lullo ons niet onze tickets naar Florence had gegeven. 'Jullie eerste internationale toernooi is over twee weken. Jullie tickets en accommodatie worden betaald door jullie sponsors. Zorg dat jullie goed presteren, dan reizen jullie een volgende keer misschien businessclass. Maar het belangrijkste vind ik dat een paar slapjanussen als jullie mijn naam niet door het slijk halen.'

'Nee, Mr. Mullow,' antwoordden we, terwijl we onze tickets tegen onze borst klemden en opgewonden op en neer wipten.

Ik was nog nooit in Italië geweest. 'Ik vraag me af hoe Italianen zoenen,' zei ik dromerig, toen Portia en ik ons stonden om te kleden. 'Niet dat ik van plan ben om het uit te proberen, maar je vraagt het je wel af.'

'O, doe *je* dat?' vroeg Portia, terwijl ze op die superaristocratische manier van haar één wenkbrauw optrok.

'Ik heb gewoon een onderzoekende natuur, Portia. Natuurlijk ben ik hartstikke gelukkig met Freds, die toevallig het lekkerste zoent van de hele wereld. Geen Italiaanse Lothario heeft op mij ook maar de minste aantrekkingskracht, schat.'

Ze mepte me tegen mijn benen met haar zweterige vest, en ik mepte haar terug met het mijne. Italië werd echt supercool!

Boeddhistische beveiliging

Die nacht hadden we na het 'lichten uit' een illegaal feestje op onze kamer. Na vier jaar waren we erg bedreven geworden in dit soort feestjes, die volgens Star niet verboden maar juist aangemoedigd zouden moeten worden.

Dat vind ik nou ook. Ik bedoel, ze dwingen ons om de gekste dingen te doen, zoals hardlopen in paren, met je benen aan elkaar gebonden, en speerwerpen. Maar als we dat soort dingen in Windsor zouden doen, zou de school heel wat hebben uit te leggen. En trouwens, welke redelijke volwassene verwacht nou echt dat meisjes van onze leeftijd voor twaalf uur in bed liggen? Niemand dus.

Indie trok de prullenbak bij de deur vandaan, zodat Miss Bibsmore ons niet kon horen. Toen stak Honey een sigaret op en stelde voor om een van haar stomme rijke-truttenspelletjes te doen. Je moest zeggen wat je zou zijn als je een stuk fruit was. 'Mensen zouden mij bijvoorbeeld zien als een stervrucht, want ik ben exotisch, duur en zoet,' legde ze uit, terwijl ze overdreven met haar belachelijk lange oogharen knipperde.

'Zullen we dat spelletje nou maar niet doen?' zuchtte Portia. Ze zat een sjaal te breien voor haar vader, althans dat probeerde ze. Het zag er meer uit als een roerhoutje, maar ik zag dat ze er veel van verwachtte, dus hield ik mijn mond.

Maar Honey dramde door. 'En Calypso zou bijvoorbeeld

eh... een appel kunnen zijn. Goedkoop en gewoontjes. En wat zou Star zijn?' vroeg ze, terwijl ze haar best deed om haar botox-voorhoofd te fronsen.

'Een fruitvlieg,' snauwde Star, terwijl ze Honey volspoot met Fébrèze. 'Blaas je rook naar buiten en laat óns verder praten over dingen die er echt toe doen, ja?'

Honey wuifde de rook weg bij haar eigen gezicht. Omdat ze weet dat je van roken rimpels krijgt, heeft ze een idiote manier van roken ontwikkeld, waarbij ze haar sigaret een armlengte van zich af houdt, snel een trek neemt en dan haar arm weer zo ver mogelijk uitstrekt. De rook blaast ze de andere kant op, meestal in mijn gezicht. 'Oké, we kunnen het hebben over wat ik in de vakantie heb gedaan, schatten,' stelde ze voor. 'Ik was dit jaar toch zóóó waanzinnig populair in Val d'Isère. Het kwam vast door mijn nieuwe borstimplantaten. De modeontwerpers kwamen me allemaal smeken of ik hun kleren wilde dragen naar de modeshows van dit seizoen, en alle clubeigenaren probeerden me over te halen om naar hun clubs te komen. Ik moest ze steeds weer uitleggen: "Schatten, ik weet het, ik ben een verrukkelijke It Girl, maar hoe graag ik ook zou willen, ik kan niet overal tege-lijk zijn, hè?"' Toen deed ze haar belachelijke rijke-truttenlachje en begon ze weer een nieuw verhaal over hoeveel indruk ze had gemaakt, en hoe iedereen haar had bewonderd en in de watten had gelegd.

Het was net een psychotisch verhaaltje voor het slapengaan.

Ik dutte in toen ze begon over een of ander alcoholmerk, dat had gevraagd of zij hun nieuwe gezicht wilde zijn. 'Ze zeiden dat ze iets jongs, fris en exotisch wilden.'

'Dan konden ze net zo goed een stervrucht nemen. Veel goed-koper,' zei Star, gemaakt onschuldig.

Echt, als er een bom in de kamer had gelegen, had je hem kun-nen horen tikken. De stilte werd verbroken door Georgina, die vroeg hoe mijn weekend bij de koninklijke familie was geweest.

'O, jeetjemina! Dat had ik je nog niet verteld, ze hebben niet eens kabel-tv.'

De hele kamer hield ontzet de adem in.

'Vertel eens over de teleurgestelde blikken die je steeds kreeg van Freds,' drong Star aan.

'Teleurgestelde blikken?' herhaalde Georgina onzeker.

Star schudde afkeurend haar hoofd.

Ik keek haar dreigend aan, woedend over haar verraad. 'Eh, nou ja, Star overdrijft een beetje.'

Star begon onmiddellijk te betogen dat Freds een saaie idioot was, die haar beste vriendin niet waard was, dus snoerde ik haar de mond met mijn verhaal over de verkoudheid die ik had voorgewend om niet mee op jacht te hoeven.

'Heb je de chiliolie op…' vroeg Georgina.

'Ze gingen kleiduiven schieten,' verklaarde Star, terwijl ze een diepe greep deed in de zak met marshmallows op de grond.

'Ja, maar dat wist ik toen nog niet, hè? Ik dacht dat ze op echte, levende vogeltjes gingen schieten, zoals korhoenders of fazanten of zo.'

Honey keek zo geschokt dat ik echt even dacht dat ik haar gezicht zag bewegen. 'Alleen armoedzaaiers, buitenlanders en boerenkinkels van de ergste soort schieten in januari op vogels,' beet ze me toe. 'Die zijn in deze tijd van het jaar veel te dik en te traag, dat is onsportief. Bovendien is het niet eens het seizoen voor korhoenders.'

'Nou, dat zal dan wel. Hoe moest ík nou weten wanneer je op korhoenders schiet? Ik weet niet eens of ik ooit een korhoen heb gezien, en als dat zo is, zou ik er in ieder geval nooit op schieten. En dat is niet omdat ik een buitenlandse ben. Ik vind gewoon dat je niet op dingen moet schieten,' legde ik uit. 'Niet eens op kleiduiven. Zo.'

Tobias haalde de spanning uit de lucht door – via Georgina – mee te delen dat hij geen leugens kon verdragen.

'Je kunt je afvragen of jongens de moeite waard zijn, schatten,' voegde Indie eraan toe, terwijl ze zich als een zwarte kat op haar bed uitstrekte en haar voeten tegen de muur zette.

'Ik vraag me dat helemaal niet af. Ik wéét gewoon dat ze de moeite niet waard zijn,' zei Star, terwijl ze voor de spiegel haar haar invlocht.

'Ach, hou toch je kop, Star, wie ben jij nou helemaal? Het duffe dochtertje van een drugsverslaafde muzikant die zijn beste tijd heeft gehad. Jij bent alleen maar jaloers op Calypso omdat zij Freddie heeft en omdat je zelf zo'n trut bent dat je geen vriendje kunt krijgen,' schimpte Honey vanaf de vensterbank, waar ze de rook naar buiten zat te blazen.

Wat was dit voor vreemde nieuwe werkelijkheid? Ik kon niet geloven dat uitgerekend Honey me te hulp kwam. Vooral omdat ik niet eens hulp nodig had. Bovendien kon Star iedere jongen krijgen die ze maar wilde.

Niet dat Star zich iets van Honeys aanval op haar versierkunsten aantrok. Ze pakte gewoon de Fébrèze en spoot Honey ermee tegen haar kont. 'In tegenstelling tot jou kíés ik er op dit moment voor om me niet met jongens bezig te houden. Maar nou moet je me toch eens vertellen, heb jíj eigenlijk wel eens een echt vriendje gehad?'

Honey draaide zich naar ons om. Ik vóélde haar gezicht gewoon trillen van verontwaardiging.

'Natuurlijk wel,' zei ze. 'De jongens zijn allemaal gek op me.'

'Ja, schat, we weten allemaal dat je een slet bent. Als ze maar een titel hebben, zoen je met iedereen, of ze knap zijn of niet. Maar heb je wel eens een echt vriendje gehad?'

Ik kan me vergissen, maar ik wist bijna zeker dat Honey even aarzelde voor ze zei: 'O, zo veel.'

'Ja, echt? Noem ze eens op,' zei Indie met een brede grijns op haar gezicht.

'Ik zou niet graag genoemd willen worden,' zei Star lachend. 'Wie wil er nou met jóú uit?'

Plotseling flitsten de tl-buizen aan. 'Wat is dit?' siste Miss Bibsmore vanuit de deuropening. 'Zet die prullenbak terug, Miss O'Hare, en ga terug naar je eigen kamer.'

'O, dit is zóóó oneerlijk,' zei Honey woedend. Ik zag Siddharta de kamer in gluren en zwaaide naar hem dat hij moest ophoepelen.

'Er is zo veel oneerlijk,' antwoordde Miss Bibsmore grinnikend. Toen draaide ze zich om om te zien naar wie ik zwaaide en stond ze oog in oog met Honeys boeddhist.

'Wie hebben we hier?' vroeg ze, terwijl ze naar Siddharta prikte met haar stok.

'Mijn bodyguard,' antwoordde Honey geërgerd.

Miss Bibsmore zette grote ogen op van verontwaardiging. 'Je wát, zeg je?' brieste ze. Zelfs haar pluchen hondensloffen keken kwaad.

'Pappie denkt dat iemand me misschien zal proberen te ontvoeren,' antwoordde Honey nonchalant.

'En wat heeft die vent in die sari daarmee te maken?' wilde Miss Bibsmore weten.

'Hij is een boeddhistische monnik, stom wijf!' siste Honey.

'Dus ik ben een stom wijf, hè? Mij proberen ze anders niet te ontvoeren.'

'Weinig kans op,' mompelde Honey. Toen draaide ze zich om naar ons. 'Laters, meiden, ik ga naar bed!' Maar toen ze zich langs Miss Bibsmore naar buiten wilde wringen, hield ons huisloeder haar met haar stok tegen.

'Niet zo snel, Miss O'Hare. Regels zijn regels. Geen herenbezoek in de slaapkamers.'

'Opzij, ouwe heks, of ik laat je door Siddharta wegmediteren.'

Miss Bibsmores stok belemmerde Honey nog steeds de doorgang. Ik weet dat je je moeilijk kunt voorstellen dat een vrouw in een flanellen nachthemd met pluchen hondensloffen er beangstigend kan uitzien, maar Miss Bibsmore kreeg het voor elkaar. Ik was echt bang voor haar.

Honey zuchtte diep. 'Luister eens, achterlijke troel, hij is geen herenbezoek, hij is een geautoriseerde, geweldloze bodyguard.'

'Al was hij een gereïncarneerde kanarie, dat kan me niks schelen, dame. Hij heeft niks te zoeken in de slaapvertrekken van de meisjes. Dat is niet zoals het hoort, vooral niet met een prinses erbij. Ik moet dit melden bij zuster Constance!'

Honey keek neer op ons kleine, gebochelde huisloeder in haar groezelige ochtendjas en haar hondensloffen. 'Zuster Constance is volledig op de hoogte van de dreigementen gericht tegen mijn persoon. En nu opzij, of ik stuur Siddharta op je af.'

Ik denk niet dat ik de enige was die zich afvroeg wat een geweldloze boeddhist zou moeten beginnen tegen een woest huisloeder met een stok. Haar wegmediteren leek me een beetje onwaarschijnlijk.

'Siddharta, haal haar weg,' beval Honey, en het volgende moment haalde Siddharta een bronzen cilinder op een stok uit zijn lange gewaad tevoorschijn en begon daar al neuriënd mee rond te draaien.

'O, mijn god, hij heeft een wapen!' gilde Indie.

We doken allemaal op de grond, behalve Honey, Siddharta en Miss Bibsmore, die met een klap haar stok op Siddharta's gebedsmolen liet neerkomen. Honey gilde. Ik denk dat ik dat ook deed, en toen drukte Indie op de paniekknop.

'O, prachtig,' joelde Star boven het loeien van de sirene uit. 'Nu krijgen we de politie op ons dak.'

Maar Miss Bibsmore was nog niet klaar met Honeys boeddhist. Ze beheerst de oeroude kunst van het stokkenzwaaien als geen ander, dus ik denk dat niemand ervan opkeek dat ze Siddharta met haar stok op zijn hoofd begon te meppen. Siddharta pakte zijn rokken bij elkaar en vluchtte de gang uit, terwijl Miss Bibsmore hem nariep: 'Ja, ga er maar gauw vandoor, mietje in je meidenjurk. Ksjt, ksjt, ksjt.'

Het was allemaal bijzonder onwaardig en naar mijn idee een ernstige aanslag op de geloofwaardigheid van boeddhistische bodyguards waar ook ter wereld.

Toen de politie er eindelijk aankwam, stond de sirene nog steeds te loeien en was Honey nog steeds aan het gillen.

'Oké, brigadier, het is dat mens van O'Hare weer,' zei een van de bobby's in zijn walkietalkie. 'Er staat een vent buiten in een oranje sari. Zegt dat hij van een of ander boeddhistisch beveiligingsteam is en dat hij hiernaartoe is gestuurd om haar te beschermen tegen ontvoerders.'

We hoorden een enorm gelach aan de andere kant van de lijn.

Ik weet precies hoe de brigadier zich voelde. We moesten allemaal ons dekbed in onze mond proppen om niet hardop te lachen. Het alarm was eindelijk uitgezet en Miss Bibsmore begeleidde de agenten naar het kantoor van zuster Constance, terwijl ze Honey aan haar oor meesleepte.

'Ben je niet blij dat je in Engeland op school zit?' vroeg Star, terwijl ze bij me onder mijn dekbed dook.

Het zwaard van Damocles

Hoewel we het grootste deel van de nacht wakker bleven om na te praten over Honeys Laatste Stunt, werden we allemaal bij de eerste bel wakker. Na het ontbijt, de mis en de kamerinspectie was het tijd voor Engels, van Miss Topler. Engels is een van de basisvakken in het lesprogramma, dus daar moest iedereen naartoe. Op alle tafels lag een exemplaar van *Hoe je kunt slagen voor je examen (en plezier kunt hebben)*.

Ik zat naast Star, die haar boekje zat te versieren met muziekbalken. Ik probeerde het boekje te lezen, waarin werd aanbevolen om af en toe je studie te onderbreken voor een wandelingetje met de hond. Welke hond? Ik had niet eens een hond. Ik sloeg het boekje dicht en wijdde me aan een meer opbouwende en gedisciplineerde bezigheid: kijken hoelang ik het kon volhouden om niet *Ik hou van Freds* op mijn pennendoos te schrijven.

Star voelde mijn liefdesstrijd blijkbaar aan, want ze keek op van haar muzieknoten en tekende met permanentstift een hart op mijn hand, met een L in het midden. Waarschijnlijk stond die L niet voor Liefde, maar voor Loser.

Ik griste de stift uit haar handen en wilde net een hart met een pijl op haar hand tekenen, toen Miss Topler binnenkwam. Ze droeg een afschuwelijke weeïg roze bloemetjesjurk met een roze kabelvest eroverheen. Zelfs haar schoenen waren roze. Het waren van die afgrijselijke plastic dingen, die zo'n eng, zuigend geluid maken als je erop loopt. Ach, de stakker. Geen wonder dat ze nooit een man had gevonden en nu haar troost moest zoeken bij trieste types als Thomas Hardy.

'Goedemorgen, meisjes,' zong ze.

We gingen allemaal staan. 'Goedemorgen, Miss Topler, God zegene u,' zongen we op de eerbiedige, respectvolle toon waar de meisjes van het Sint-Augustinus beroemd om zijn.

Na een plichtmatig '*In nomine patris, et filii et spiritus sancti*' begon Miss Topler op en neer te wippen, alsof ze nodig moest plassen. Toen sloeg ze haar handen in elkaar. 'Voor we aan ons werk voor dit trimester beginnen, heb ik een heel belangrijke mededeling te doen.'

Ik dacht dat ze iets slaapverwekkends ging vertellen, bijvoorbeeld dat ze in de vakantie weer enorm had genoten van de metafysische dichters. Ze kan maar niet genoeg krijgen van de metafysische dichters, hoewel we allemaal weten dat die verschrikkelijk aan de drugs waren en bijna nooit een gedicht afmaakten. Maar als je Miss Topler op dit soort onweerlegbare feiten wijst, bedelft ze je onder de blauwtjes.

Dit keer bleek ze echter heel andere dingen aan haar hoofd te hebben. Haar mededeling was erger dan het ergste metafysische gedicht.

Ze klapte in haar handen en het was alsof het mes van de guillotine op mijn nek neerkwam, en toen zei ze: 'Calypso Kelly's essay "Mijn familie en de ultieme waanzin" is voorgedragen voor de Nationale Essaycompetitie voor deelnemers onder de zestien jaar.'

En toen begonnen ze allemaal te klappen.

'Ademen,' zei Star tegen me toen ik een flauwte kreeg – en het was niet eens een nepflauwte. Ik was echt bijna flauwgevallen!

'Ademen,' herhaalde Star. Als mensen je moeten herinneren

aan iets gewoons als ademhalen, weet je dat het niet goed met je gaat.

'In, uit, ademen, ademen!' drong Star aan, terwijl mijn hoofd met een doffe klap op de tafel viel.

'Is er iets aan de hand met onze kleine heldin?' vroeg Miss Topler opgewonden. Toen ik mijn hoofd optilde, zag ik haar als een grote, roze schuimtaart op me af komen. 'O, jeetjemina,' mompelde ik. 'Ik ben er geweest. Als je ook maar iets van *amore* voor me voelt, Star, maak dan nu een eind aan mijn leven. Gebruik een passer, een potlood, het maakt niet uit wat. Steek hem in mijn aura of mijn aorta, of wat het ook maar is waaruit je doodbloedt. Alsjeblieft, Star, ik smeek het je.'

Miss Topler keek bezorgd.

'Ze is een beetje uit haar doen,' zei Star. 'Ze is soms een gevaar voor zichzelf als ze zich opwindt. Zal ik even met haar naar buiten gaan, om een luchtje te scheppen?'

Miss Topler stemde daarmee in, in de belachelijke veronderstelling dat met een beetje frisse lucht alles weer goed zou komen.

Toen we de gang uit waren, gaf Star me een knuffel. 'Wees maar niet bang. Ik weet zeker dat je niet wint.'

'Maar voor de vakantie zei je nog dat je zeker wist dat ik wél zou winnen.'

'Dat zei ik alleen om te zorgen dat je meedeed,' zei ze, met een brede grijns. 'Het is een essaycompetitie voor mensen die een grote tragedie hebben meegemaakt in hun leven. Een gróte tragedie! Dat kun jij toch niet zeggen, Calypso.'

'Maar voor de vakantie vond je nog van wel!' zei ik fel. 'Je zei dat de scheiding van Bob en Sarah traumatisch en tragisch was.'

'Nee, dat heb ik niet gezegd,' zei ze. 'Jij hebt een heerlijk, zorgeloos leven. Jij gaat naar LA en rijdt rond in golfkarretjes, en je ouders zijn geen drugsverslaafde rockers die je naam vergeten.'

Ik keek haar woedend aan. 'Je hebt me mooi wel overgehaald om mee te doen. Ik durf zelfs te zeggen dat je me onder zware emotionele druk hebt gezet.'

'Nou, misschien is dat zo. Maar schat, dat was voor je eigen bestwil.'

'Mooie eigen bestwil, als je door je ouders wordt vermoord!'

'Je overdrijft,' zei Star.

'Nee, dat doe ik niet. Mijn essay wordt gepubliceerd en dan lezen Bob en Sarah hoe gestoord ze zijn!'

'Hoe bedoel je?'

Soms kan Star ongelofelijk stom en vergeetachtig zijn. Ik kreeg zo langzamerhand het idee dat ik beter met Tobias kon gaan praten. 'Jij had toch gezegd dat ik moest schrijven over het effect dat hun scheiding op mij had?'

'Ja, en?'

'Nou, dan gebruik je natuurlijk een beetje artistieke vrijheid om eh… Je weet wel, het trieste van je situatie goed naar voren te laten komen.'

'O, doe *je* dat?' spotte ze.

'Ik heb gewoon beschreven hoe krankzinnig Bob en Sarah zijn – je weet wel, Sarah met haar demente gedoe en Bob die helemaal opging in die Grote Klapper van hem. En toen heb ik het hele drama nog een beetje aangedikt, voor het artistieke effect.'

Star keek ontzet. 'Maar ze zijn zo verliefd.'

'Toen niet. Ze waren uit elkaar, Star. Sarah noemde me Poekie en Bob was arrogant en afstandelijk.'

'Shit!' riep mijn vriendin. 'Laten we maar bidden dat ze die dag de krant niet kopen.' Maar aan de blik waarmee ze me aankeek, zag ik dat ze zich bewust was van de gruwelijke ernst van mijn situatie.

Toen we terugkwamen in de klas, had Miss Topler een geruststellende mededeling voor me. De essays zouden pas worden gepubliceerd na de beoordeling door de jury, met andere woorden in de tweede helft van dit trimester. Pffff, dat was een opluchting.

De volgende twee uur had ik Grieks. We kregen een lezing over Damocles, een van de eerste sandalendragers van het oude Griekse rijk, die ondervond hoe onzeker het geluk is toen hij onder een zwaard moest zitten, dat aan een enkele haar boven zijn hoofd hing. Ik weet niet of dat ironisch was, maar ik vond het nogal verontrustend om het verhaal over Damocles en zijn zwaard te horen op een moment dat ik mijn eigen zwaard boven mijn hoofd had hangen.

Leuke fantasietjes en de harde werkelijkheid

Toen zaterdagmiddag de lessen waren afgelopen, was ik Damocles en zijn angst voor het zwaard allang weer vergeten. Ik ging naar Windsor, ik zou Freds weer zien! Ondanks zijn verontrustende sms'je van afgelopen zondag was er niets 'tussen gekomen' en ging ons afspraakje gewoon door. Ik probeerde van blijdschap zelfs een radslag te maken in onze kamer, maar mijn idioot lange benen bleven in de gordijnen haken en de hele bende kwam naar beneden zeilen.

Indie was gelukkig niet kwaad. Ze kietelde me alleen maar tot ik het bijna in mijn broek deed en gaf toen een paar van haar bodyguards opdracht de gordijnen weer op te hangen.

Freds had de hele week vrij weinig van zich laten horen. Ik had me er stiekem behoorlijk over lopen opwinden dat hij me helemaal geen sms'jes stuurde, maar ik durfde er niets over te zeggen, omdat Star dan vast weer zou beginnen over jongens die kostbare creatieve hersenruimte in beslag namen. Ook had ik genoeg afleiding aan het schrijven van songteksten voor Star en Indie, waarvoor ik allemaal woorden nodig had die rijmden op 'angst' en 'woede'.

Ik had samen met Arabella en Clemmie een taxi genomen naar Windsor, en aan hun kleren te oordelen waren ze van plan flink op de versiertoer te gaan. Ze bleven met mij wachten op de plek waar de taxi ons had afgezet en waar ik met Freds had afgesproken.

'Ik hoop dat hij een paar leuke vrienden meeneemt,' zei Clemmie, terwijl we onder de luifel bij elkaar stonden te kleumen.

'Ik heb hem verteld dat jullie ook kwamen, dus ik weet zeker dat hij iemand meeneemt,' antwoordde ik, terwijl onze blote benen langzaam blauw werden van de kou. Ik zou willen dat panty's niet zo oncool waren. Ik weet dat ik ook in spijkerbroek had kunnen gaan, maar die had ik de laatste keer dat ik Freds zag ook al gedragen. O, wat is ware liefde toch diep *merde*.

Eigenlijk had ik Freds gevraagd om een paar vrienden voor Clems en Bells mee te nemen, om met hem alleen te kunnen zijn. Ik had hem niet meer gezien sinds het Schotse Fiasco, zoals Star mijn uitstapje naar het wilde Kiltland nu noemde. Ze gaf voortdurend haar interpretatie van zijn teleurgestelde blikken, en iedereen behalve ik rolde dan over de grond van de pret. Kijk, 'pret' is een goed woord. Heel veel woorden rijmen op 'pret'.

Freddie arriveerde stipt op tijd. Hij zag er hartstikke leuk uit. Hah! En zoals hij had beloofd, had hij Malcolm en nog een andere jongen meegenomen.

'Dit is Orlando,' stelde hij de derde jongen voor. Orlando was een knappe jongen, van wie ik wel eens had gehoord, maar die ik nog nooit had gezien. In het schoolcircuit was hij redelijk beroemd: hij was de achttiende Lord van Hunte, hij was een beroemde dj op kostschoolfeesten en hij had een website opgericht over de Sloanes. Die website was eigenlijk bedoeld om de opvattingen en kleedgewoonten van de Sloanes een beetje op de hak te nemen, maar heel veel mensen (Honey bijvoorbeeld) namen het triest serieus. Orlando had een erg on-Sloaney pak van Saville Row aan, met een rugby-T-shirt eronder en een paar witte tennisschoenen om het geheel af te maken.

'Je ziet er oogverblindend mooi uit vandaag, Calypso,' merkte

Malcolm op. Iedereen begon ingehouden te lachen, behalve Freds, die er een beetje nors bij stond. Freds vertrouwde het niet helemaal met Malcolm en mij sinds ik me het vorige trimester in de nesten had gewerkt door midden in de nacht in de stromende regen een muur van het Eades te beklimmen. Ik wilde eigenlijk naar Freds toe, maar ik werd betrapt in Malcolms kamer, met zijn badjas aan, terwijl mijn kleren op zijn verwarming lagen te drogen, en toen liep de zaak uit de hand. Hoe dan ook, ik vind het vreselijk aandoenlijk dat Freds zo jaloers is, al is dat natuurlijk niet nodig. Hoe knap Malcolm ook is, hij is duidelijk smoorverliefd op Indie.

'Is alles nu weer in orde met je ouders?' vroeg Malcolm.

'Ik heb je toch verteld van de huwelijkszegening, McHamish,' zei Freddie geërgerd, terwijl hij Malcolm een por in zijn zij gaf. Die porde terug en het werd een heel gepor over en weer toen Malcolm antwoordde: 'Ja, maar ik dacht dat je loog, snap je?'

Freds en ik rolden met onze ogen, en Freds drukte me tegen zijn borst en gaf me een zoen op mijn hoofd. Toen stelde hij voor om een pizza te gaan eten. Ik knikte en Freds zei tegen de anderen dat we elkaar dan straks wel weer ergens zouden zien. Toen legde hij zijn arm om me heen en trok hij me mee de steeg in.

'Weet je wat, we gaan met jullie mee,' zei Malcolm, terwijl hij, met de anderen in zijn kielzog, achter ons aankwam.

Hoewel ik me erop had verheugd om met Freds alleen te zijn, konden we er moeilijk iets van zeggen. Dat zou onaardig zijn. Maar ik vond dat Freds me op zijn minst veelzeggend had kunnen aankijken, met zo'n blik van: 'O, Calypso, schat, ik wou dat we met z'n tweetjes waren.'

Maar dat deed hij niet.

Met z'n zessen liepen we de met keitjes bestrate steeg door. Af en toe gleden we uit in de blubberige sneeuw en vingen we elkaar op. Ik gleed wat vaker uit dan echt nodig was, zodat Freds me kon opvangen. O, wat is winterliefde toch heerlijk.

In onze favoriete pizzatent namen we een grote tafel in de hoek. Freds schoof mijn stoel voor me aan en kwam naast me zitten. Hij heeft toch zó veel *savoir-faire*.

Arabella zat overduidelijk te flirten met Malcolm, wat totaal geen zin had gezien de fatale aantrekkingskracht die Indie op hem had. Clems zat intussen met haar oogharen te knipperen naar Orlando. Ik vroeg Freds hoe het met Kev ging.

'Fantastisch,' zei Freds toonloos, terwijl hij het menu doorkeek.

'O!' antwoordde ik, terwijl ik dichter naar hem toe schoof, zogenaamd om het menu te bekijken – alsof het heel belangrijk was om de juiste pizza te kiezen. Ik neem altijd pizza Hawaï en Freds een pizza met peperoni – dat zijn onze favorieten.

'Hoezo, wat is er dan aan de hand?' vroeg hij. Blijkbaar had hij eindelijk in de gaten dat er iets niet helemaal oké was in Calypso's Heel Eigen Fantasieland.

'Niks,' loog ik, want ik had gehoopt dat ik iets te horen zou krijgen over Kevs gebroken hart. In Calypso's Heel Eigen Fantasieland had ik me voorgesteld dat Freds me zou smeken te bemiddelen, met het oog op het welzijn van zijn beste vriend. Ik zou dolgraag zorgen dat Kev en Star weer bij elkaar kwamen, zodat we weer het perfecte viertal konden zijn dat we ooit waren.

Hoewel Star sinds haar mededeling dat ze Kev had gedumpt, nooit meer over hem had gesproken, was ik ervan overtuigd dat ze hem nog steeds aardig vond. Ik bedoel, jeetje, hij deed álles wat ze zei. En hij zag er leuk uit, en hij kon waanzinnig goed schermen. Al haar geklets over jongens die alleen maar lastig waren, was niks dan… Nou, geklets dus. Dat maakte ik mezelf in ieder geval wijs. 'Het is alleen… Nou ja, Star zei dat het uit was en ik dacht dat Kev er misschien wel iets over had gezegd.'

'Jaaa, ach, misschien is het maar beter zo. Zo gaan die dingen nou eenmaal,' antwoordde Freds.

'Wát zeg je?' vroeg ik stomverbaasd.

'Zo gaan die dingen nou eenmaal,' herhaalde hij, terwijl hij me aankeek alsof ik niet goed snik was.

Als ik had gekund wat dat meisje in *The Exorcist* deed, had ik mijn hoofd laten rondtollen op mijn nek. In plaats daarvan rolden mijn ogen uit mijn hoofd op de grond – nou ja, bij wijze van spreken dan.

'Star moet zich concentreren op haar GCSE-examens,' voegde hij eraan toe. En toen keek hij me aan alsof hij me voor het eerst echt opmerkte en zei: 'Jij hebt ook GCSE's, hè?'

'Ja, en?' Ik vroeg me af waar hij het in godsnaam over had. Wie wil het nou hebben over duffe GCSE-examens, als er heerlijke lippen zijn om te zoenen en geinige, overeind staande haren om te strelen?

'Nou, ik wil alleen maar zeggen dat je waarschijnlijk nogal eh… krap in je tijd komt te zitten.'

Ik had geen idee waar hij het over had. Ik weet best dat jongens van een andere planeet komen, maar dit was ánders anders. Er was in het drukke restaurant geen ruimte om flauw te vallen, dus liet ik me voorover op de tafel vallen en begon te snurken. Dat bracht hem in ieder geval op het idee om mijn haar aan te raken, hoewel hij er eigenlijk meer zo'n beetje doorheen woelde, zoals je doet met een hond.

Nadat hij mijn schitterende kapsel had verpest, keek hij de anderen aan en vroeg: 'Zullen we maar gewoon drie grote, gemengde pizza's bestellen en samen delen?'

'Niet voor mij,' zei Malcolm, terwijl hij mij aankeek en zijn stoel achteruitschoof. 'Ik ga er maar eens vandoor. Leuk om jullie te hebben gezien, meiden,' voegde hij er vaag aan toe, waarna hij doodleuk het restaurant uit liep.

Het was eigenaardig zoals hij achterwaarts wegliep en mij bleef aankijken, alsof hij me iets duidelijk wilde maken. Ik veronderstelde dat hij iets over Indie wilde weten, maar daar moest hij dan maar naar vragen.

Orlando zei tegen Freds dat hij wat hem betrof alsnog drie grote, gemengde pizza's mocht bestellen. Daarna begonnen ze Eades-zaken te bespreken en ik mengde me toen maar in een gesprek tussen Clemmie en Bells over konijnen. Ik weet dat ze mijn vriendinnen zijn en konijnen zijn hartstikke lieve beesten, maar Clems en Arabella en ik... Nou ja, we zien elkaar iedere dag. Ik slaap zelfs iedere nacht met Clemmie op een kamer. Hoe leuk ik konijnen ook vind, ik was niet helemaal naar Windsor gekomen om over konijnen te praten. Ik kwam om te zoenen, met Freds!

Drama in het kwadraat

Pas toen de pizza's op waren, kregen we eindelijk de kans om alleen te zijn. Freds nam het heft in handen en zei tegen Orlando: 'Wij gaan er nu vandoor, Hunte, ik zie je straks wel op school.'

Ik vond het heerlijk om hem 'wij' te horen zeggen. Het gaf me een warm, gewenst gevoel. Het was jammer dat Hunte zo werd bedolven onder de liefdevolle aandacht van Arabella en Clems dat hij het niet hoorde.

Terwijl Freds wat geld op tafel gooide, kroop ik knus onder zijn arm en daar liepen we de sneeuw in. Buiten trok ik zijn arm nog wat strakker om me heen. 'Ik heb het ijskoud,' zei ik, terwijl ik verleidelijk met mijn oogharen knipperde. Nou ja, het was verleidelijk geweest als ze niet vastgeplakt hadden gezeten door de vele mascara die ik erop had gesmeerd. Nu deed ik maar net alsof ik iets in mijn oog had, en Freds depte mijn oog met zijn zakdoek.

'Wil je mijn jas?' vroeg hij, terwijl hij me losliet en zijn kasjmier jas begon uit te trekken. Nee, stomme idioot! Ik wil je armen om me heen, gilde ik inwendig.

Toen keek hij naar mijn benen en zei: 'Je bent helemaal blauw. Waarom heb je geen panty aan, Calypso?'

Wie dacht hij dat hij was? Mijn oma? 'O, ik heb het niet koud,' loog ik.

'Ik dacht dat Californische meisjes allemaal van die surfende zonaanbidsters waren,' zei hij plagend.

'We hebben in Californië ook sneeuw, hoor,' zei ik. 'Het ligt maar een uur rijden bij LA vandaan.'

Hij lachte. En toen, net op het moment dat ik me helemaal blij en gelukkig begon te voelen, stak hij zijn handen in de zakken van zijn kaki broek en zei: 'Dus je hebt heel wat te doen, met je GCSE-examens en het toernooi in Italië voor de boeg.'

'Ik wou dat jij ook naar Italië kwam,' zei ik. 'Kun je niet gewoon meegaan?'

Hij lachte alsof ik een grapje maakte, wat ik erg irritant vond. Hij was tenslotte een prins, en hij hoefde geen examen te doen. Waarom kón hij eigenlijk niet naar Italië komen?

Toen keek hij weer ernstig. 'Ik weet dat Billy héél hard moet trainen.'

'Dat doen Portia en ik ook,' zei ik. 'Iedere lunchpauze schermen we ons drie slagen in de rondte.'

'Dat dacht ik al. En ik sta echt heel erg achter je, dus ik wil maar zeggen dat ik het heel goed kan begrijpen als je ermee wilt stoppen.'

Ik voelde me koud worden. IJskoud. 'Hoe bedoel je, stoppen?' vroeg ik, alsof ik geen idee had waar hij het over had.

Hij keek naar zijn schoenen. Waarom doen jongens dat als ze iets afschuwelijks gaan zeggen? Om de stemming een beetje op te fleuren voegde ik eraan toe: 'Laat die kou maar eens stoppen, dat zou ik helemaal niet erg vinden. Hè, kom eens lekker tegen me aan staan.' Ik wilde niet dat het gesprek verderging.

Freds negeerde me. 'Nou, wij. Jij en ik. Ik wil gewoon niet dat je het gevoel hebt... Je weet wel...'

Zij stem stierf weg, terwijl hij me aankeek.

'Nee, ik weet het niet,' zei ik. 'Eerlijk gezegd heb ik geen idee waar je over loopt te zeuren.'

'Ik wil je niet het gevoel geven dat je steeds met mij moet af-spreken, terwijl je je eigenlijk moet concentreren op andere dingen, zoals schermen. Ik weet hoe hard je hebt gewerkt om in het internationale team te komen en ik wil niet dat je dat van ons ziet als een verplichting.'

Ik haalde opgelucht adem. Pfff. Hij wilde het helemaal niet uitmaken. Hij was gewoon onzeker en ik was weer veel te wantrouwig. 'Jij bent geen verplichting,' verzekerde ik hem. Toen gaf ik hem een speels zetje, in de hoop dat hij zijn handen uit zijn zakken zou halen en ze om mijn schouders zou leggen, waar ze thuishoorden. 'Jij bent alleen maar leuk.'

'Je weet best wat ik bedoel, Calypso. Portia en Billy doen het even rustig aan en Kev en Star en…'

'We zijn geen musketiers, Freddie,' zei ik. 'We hoeven onze vrienden niet in alles te volgen.'

Hij glimlachte niet eens. Hij keek me zelfs niet aan. Hij keek weer naar zijn schoenen, die er voor zover ik kon zien volkomen onopvallend uitzagen. 'Ik zeg alleen dat ik weet dat je het erg druk hebt en… Nou ja, dat ik het zou begrijpen als je ermee zou willen stoppen of zo.'

Ik boog voorover om hem in zijn ogen te kunnen kijken. 'Probeer je me iets duidelijk te maken, Freddie?' Mijn hart bonsde. Ik had hem nog nooit zo moeilijk zien kijken. De secondenlange stilte die hierop volgde, was pijnlijk. Ik sloot mijn ogen, als de dood dat hij me ging dumpen. Maar hij maakte een eind aan mijn ellende door zijn armen om me heen te slaan. Hij kuste me zachtjes op mijn lippen. Ik voelde me helemaal warm en gelukkig worden vanbinnen. Alles was prima! Nou ja, ik wist mezelf er in ieder geval aardig van te overtuigen dat alles weer in orde zou komen. Ik maakte mezelf wijs dat hij alleen over dat stoppen was begonnen omdat hij onzeker was en me meer tijd wilde geven voor andere dingen.

Toen we stopten met zoenen en elkaar in de ogen keken, glimlachte Freds. Dus glimlachte ik ook. 'Kom, dan zetten we je in de taxi,' zei hij, terwijl hij me een kus op mijn bevroren neus gaf.

Toen de taxi tien minuten later het weggetje naar het Sint-Augustinus op draaide, dreef ik nog steeds rond op een woelige zee vol verwarring. Nu wist ik hoe het voelde om te zweven boven je pijn. Alles is prima, zei ik tegen mezelf. Freds had gewoon een onzekerheidscomplex. Maar terwijl ik naar het kartonnen boompje met dennengeur keek, dat aan de achteruitkijkspiegel van de taxi bungelde, voelde het helemaal niet prima. Het boompje verspreidde helemaal geen lekker luchtje en ik voelde me helemaal niet zo vrolijk als ik graag wilde.

Pas toen ik het hoofdgebouw in liep, besefte ik dat ik Clems en Arabella in Windsor had achtergelaten, terwijl de schoolregel is dat je met z'n drieën weggaat en met z'n drieën terugkomt. Ik wilde ze opbellen om sorry te zeggen, maar toen ik op mijn mobiel keek, zag ik dat het nog hartstikke vroeg was. We hoefden pas over twee uur terug te zijn. Dat sommetje hoefde Mr. Templeton niet voor me uit te rekenen! Ik had twee uur langer bij Freds kunnen blijven.

Ik belde Clemmie en Arabella en verontschuldigde me dat ik hen in de steek had gelaten. Ze zeiden dat ze net op het punt stonden om met Orlando en Yo, een vriend van hem, naar de bioscoop te gaan. Onwillekeurig dacht ik dat Freds met míj naar de bioscoop had moeten gaan. Ik had het gevoel dat ik in één klap met beide voeten op de grond was beland. En het had geen zin om flauw te vallen, want er was niemand in de buurt die er iets van zou merken.

Hoe ik mezelf ook voorhield dat Freds de beste bedoelingen had gehad met zijn suggestie dat ik er misschien mee zou willen stoppen, ik raakte het afschuwelijke, knagende gevoel in mijn maag niet kwijt. Ik ging naar de muziekvleugel, om Indie en Star te zoeken. Misschien hielp het om een paar depri songteksten te schrijven.

De muziekvleugel was nog niet officieel geopend. Dat feestje kwam pas over twee weken, als de plaquette klaar was, maar Star mocht al eerder van de voorzieningen gebruikmaken, omdat haar vader de vleugel had betaald. Die zag er meer uit als de opnamestudio's van Abbey Road Recording Studios dan als de muziekvleugel van een school, waarschijnlijk omdat overal in de lobby-achtige ruimte platina platen van Stars vader aan de muur hingen. Terwijl ik de gang door liep, verwachtte ik ieder moment een beeldschone receptioniste op me af te zien komen, om me een glas Evian aan te bieden. Zelfs een paar halfbedwelmde roadies zouden hier niet hebben misstaan. De enige dissonant was een olieverfschilderij van de Maagd Maria met een rozenkrans in haar hand.

Ik verwachtte dat ik alleen Star en Indie zou aantreffen, maar Malcolm was er ook. Ik weet niet waarom ik zo verbaasd was hem te zien, vooral niet omdat hij het vorige trimester ook al het Sint-Augustinus had weten binnen te glippen.

'Ah, Calypso! Eindelijk. Champagne?' vroeg hij, terwijl hij een miniflesje Veuve Clicquot tevoorschijn haalde uit het six-pack dat hij bij zijn voeten had staan.

Champagne drinken en een jongen de school binnenloodsen konden ons op een schorsing komen te staan, maar Malcolm zag er met Stars basgitaar om zijn nek uit alsof hij hier volkomen thuis was en ik vergat de risico's. Ik knikte instemmend op zijn champagneaanbod, hoewel ik dat spul eigenlijk niet lekker vind. Ik was in shock. En dat werd minstens twee keer zo erg toen Malcolm de onmogelijke woorden uitsprak: 'Je zult wel een drankje kunnen gebruiken nu je gedumpt bent.'

Krankjorus, krankjorum, krankjora

Nu viel ik echt flauw en ik zakte voor Malcolms voeten in elkaar. Ik voelde me echt zo'n lady uit de tijd van George de zoveelste – je kent ze wel, die dametjes die Jane Austen tot in het kleinste slaapverwekkende detail heeft beschreven. Voor je het weet 'bezwijmen' ze, en dan komt Darcy of zo'n andere sukkel als een haas aan rennen om de ingesnoerde troel weer bij kennis te brengen.

Nee, dan de eenentwintigste eeuw. Toen ik bijkwam en mijn ogen opsloeg, zag ik Malcolm eerder nieuwsgierig dan verontrust naar me kijken. Hij was vooral druk bezig om de kurk uit het minichampagneflesje te krijgen.

Star en Indie hielpen me overeind en Star gaf me een knuffel. 'Hoe durft hij jóú te dumpen!' riep ze verontwaardigd.

'Hij heeft me niet gedumpt,' hield ik vol. 'Hij heeft me helemaal niet gedumpt!' Ik wees naar Malcolm. 'Hij doet alleen maar Schots!'

Iedereen keek naar Malcolm, die de kurk uit de fles had getrokken en nu met opgetrokken neus aan de inhoud rook. Hij draaide zich naar mij toe en dook even in elkaar voor hij zei: 'Sorry, ik schijn mijn mond voorbij te hebben gepraat.'

Hij stak het rietje in het miniatuurflesje en hield het bij mijn lippen. Waarom wilde die halvegare me toch altijd aan de drank hebben?

'Neem een flinke slok van deze bruisende bron der champagne, Calypso. In de woorden van Madame Bollinger: "Ik drink het als ik gelukkig ben en ik drink het als ik verdriet heb." Bovendien moet je mijn woorden niet te serieus nemen. Waarschijnlijk heb ik het helemaal mis. Hij was ongetwijfeld van plan een ander ongelukkig meisje de bons te geven, niet jou. Vergeet maar wat ik heb gezegd.'

Ik duwde de champagne weg en veegde ruw een traan van mijn wang. Malcolm had het niet mis. Diep vanbinnen wist ik dat. Al dat geleuter van Freds in Windsor over dat hij het zou begrijpen als ik ermee wilde stoppen. Hij was al die tijd van plan geweest me te dumpen. Hij had het alleen niet aangedurfd, omdat hij niet wilde dat ik ging huilen, of een scène ging maken, of iets teleurstellends ging doen.

'Als je het mij vraagt, was hij trouwens toch een beetje te slap voor iemand als jij,' merkte Malcolm op, terwijl hij zelf een slok van de champagne nam.

'Mijn idee,' zei Star. 'Een slappe, slome sukkel. Je bent veel beter af zonder hem.'

Natuurlijk zei Star dat. Operatie Jongens Dumpen verliep fantastisch – nou ja, in omgekeerde volgorde dan.

'Beter af zonder hem?' vroeg mijn *bête noire*, Honey, die met weer een ander nauwsluitend zomerjurkje de studio in kwam lopen. Haar magere armen zaten onder de nicotinepleisters, maar ze had toch weer een sigaret in haar mond.

'Freds heeft Calypso gedumpt,' zei Malcolm, terwijl hij haar een miniatuurflesje aanbood.

'Het arme schaap,' zei Honey. Ze pakte het flesje aan. 'Hier, neem een nicotinepleister, schat, daar word je vrolijk van.' Ze peuterde een pleister van haar arm en sloeg die met een klap tegen mijn voorhoofd. Toen plofte ze naast me op de grond en legde ze haar arm om mijn schouder, alsof ze heel erg met me begaan was.

96

Ik wist niet wat erger was: mijn wanhoop over het feit dat Freds niet meer van me hield, of Honey die deed alsof ze medelijden met me had. Ze blies een rookwolk in mijn gezicht, zodat ik moest hoesten, en spoot toen Fébrèze om me heen, waar mijn ogen van begonnen te tranen. 'Arme, zielige, trieste Calypso. Je zult je wel smerig voelen. Je zult wel het gevoel hebben dat je leven niet meer waard is om geleefd te worden. Je zult je polsen wel willen doorsnijden, of van de hoogste toren willen springen, een macabere, bloedige dood tegemoet – of in ieder geval een coma. Dat zou ik tenminste hebben, als ik jou was.'

'Ze is veel beter af zonder hem,' zei Malcolm vastberaden, terwijl hij ruw het champagneflesje terugpakte dat hij Honey had gegeven.

'Ik ben helemaal niet beter af zonder hem,' hield ik vol. 'Hij is geen slome sukkel en hij heeft me niet gedumpt!' Mijn stem schoot hysterisch uit. *Très* onaantrekkelijk, dat weet ik wel, maar ik was net zo'n hysterische vrouw uit de film, die een harde klap in haar gezicht moet hebben.

Honey gaf me een harde klap in mijn gezicht.

Star gaf haar een nog veel hardere klap terug.

Malcolm zal zich ongetwijfeld hebben afgevraagd waar hij nu in verzeild was geraakt, maar hij liet niets merken. Niet dat ik me op dat moment met Malcolms gevoelens bezighield. Ik dacht terug aan Freds afscheidszoen en hoe heerlijk echt die had gevoeld. Pfff, het was allemaal zo verwarrend. Alstublieft, God, laat Malcolm het mis hebben. Freds houdt van me. Hij heeft het zelf gezegd.

Bovendien was Malcolm niet eens een vriend van Freds. Malcolm zat een jaar hoger dan hij en maakte bizarre kunstfilms, waar Freds niet van hield. 'Malcolm heeft het helemaal mis. Het is vast een vergissing,' zei ik tegen iedereen. 'Freds houdt van me.'

Honey grinnikte heimelijk.

De anderen keken ook niet erg overtuigd.

'Toch is het een slappe sukkel,' zei Malcolm, terwijl hij het rietje van zijn champagne tussen zijn vingers ronddraaide.

Star stemde daar enthousiast mee in.

Honey knikte, terwijl ze hard zoog aan haar sigaret. Nadat ze een serie kunstige rookcirkeltjes in mijn ogen had geblazen, zei ze: 'Soz, schat,' en spoot me vol met Fébrèze.

Maar ik liet me niet uit mijn tent lokken. Zíj waren er niet bij geweest toen Freds me in Windsor in de sneeuw een afscheidskus gaf. Zíj voelden niet de ware diepte van zijn *je ne sais quoi* en zijn *savoir-faire*. Oké, hij was misschien niet wat je noemt een gangmaker, maar hij gaf me het gevoel dat ik bijzonder was. En ik wilde niet oppervlakkig zijn, maar hij was wél de Britse troonopvolger. Ieder meisje ter wereld aanbad hem – behalve Star.

'En wat heeft hij toch met zijn haar?' vroeg Malcolm hoofdschuddend. 'Je zou al die potten gel eens in zijn kamer moeten zien staan. Die ijdeltuit laat er iedere maandag een vrachtwagen vol van brengen.'

'Freds gebruikt geen gel,' flapte ik eruit, want iedereen weet dat jongens die gel gebruiken, *très, très, très* triest zijn.

Malcolm schudde zijn hoofd. 'Je hebt zijn kamer nooit gevonden, hè, Calypso? Want als je die had gezien, nou… Een gelparadijs, serieus.'

Star giechelde. 'Hij is echt zo'n ordinair ventje, met dat haar van hem.'

Indie giechelde ook. 'Gel is toch zóóó triest. Je zou denken dat een van zijn lakeien hem dat wel zou vertellen.'

Zelfs Honey lachte – nou ja, voor zover ze dat kon dan.

Ik keek om me heen, naar de gezichten van mijn vrienden en Honey. Ik wilde alleen zijn met Star en haar vertellen hoe ellendig ik me voelde, maar ik wist dat ze dan alleen maar weer zou zeggen dat ik beter af was zonder hem. Dit was tenslotte precies het scenario dat ze wilde. Maar toen verraste ze me door aan te kondigen: 'Luister eens, even serieus. We kunnen dit niet laten gebeuren. We kunnen niet toestaan dat Freddie Calypso gaat dumpen.'

Ik had haar kunnen zoenen! Geen wonder dat ik zo dol was op Star. Om een of andere warrige Latijnse tekst te citeren die we moesten vertalen: zij was beslist het *ne plus ultra* van alle vriendinnen, het alfa en omega van alle vrienden en vriendinnen.

Toen ze naar me toe kwam om me te knuffelen, knuffelde ik haar zo hard terug dat ze piepte. Alles zou nu goedkomen.

'Er is nog nooit een meisje van het Sint-Augustinus gedumpt. Als er gedumpt wordt, doen wíj dat,' zei ze tegen me.

'Maar hij hééft me niet echt gedumpt,' bracht ik haar in herinnering.

'Oké, daar was hij te laf voor, maar volgens Malcolm was hij het wel van plan.'

Ik keek naar Malcolm, die zijn schouders ophaalde en knikte.

'Het is een onweerlegbaar feit, mijn lieve, allerbeste vriendin van de hele wereld,' zei Star tegen me. 'Geen enkele jongen, zelfs geen prins, heeft ooit een meisje van het Sint-Augustinus gedumpt. Nog nooit.'

Op dat moment kwam Georgina binnen, met Tobias. Wat was dit, Station Vernedering Centraal? 'Het schijnt dat in de jaren zestig een jongen van het Stowe eens een meisje heeft gedumpt,' zei ze. Kennelijk was ze al helemaal van mijn gênante situatie op de hoogte. Misschien had Freds heel Windsor volgehangen met posters waarop hij zijn dumpplannen bekendmaakte.

'Tja, daar noem je wat,' zei Malcolm hatelijk. 'Wat kun je anders van het Stowe verwachten?'

'Zuster Constance zal laaiend zijn als ze hoort dat een van haar meisjes is gedumpt,' zei Honey genietend.

Star gaf haar een waarschuwende blik. 'Moet ik prikkeldraad bij je doen, Honey?'

Honey bedekte angstig haar magere polsen.

'Niemand zegt iets tegen de zuster. Freds heeft Calypso niet *officieel* gedumpt. Nóg niet,' zei Star. Het woordje 'nog' sneed als een mes door mijn hart. 'Als we snel zijn, kunnen we de situatie nog redden.'

Georgina gaf me Tobias om te knuffelen. Hij had een leuke, zwarte Prada-trui aan, met een stoere vintagebroek van Vivienne Westwood en een paar bijpassende oorbeschermers zoals werkmannen die dragen – zogenaamd om zijn oren te beschermen tegen de harde muziek van Star en Indie. 'Tobias zegt dat je je geen zorgen hoeft te maken, schat. We vinden er wel iets op.'

Op dat moment kreeg ik een sms'je binnen.

Honey griste mijn tas van de stoel en haalde mijn mobiel eruit. '"Soz, maar ik denk dat we ermee moeten stoppen! Ik bel je nog, F."' las ze voor. Toen trok ze een heel triest, medelijdend gezicht, waardoor haar opgepompte collageenlipjes over haar kin stulpten.

Star rukte mijn mobiel uit haar hand en las het sms'je snel door. 'Gatver, wat een eikel,' zei ze, terwijl ze mijn mobiel vol afschuw naar me toe gooide.

'Dumpen per sms is echt stijlloos,' zei Malcolm. 'Zelfs voor een slappe prins met een ordinaire gelkop.'

Ik las het sms'je zelf, in de hoop dat er nog iets meer in zou staan dan wat Honey en Star hadden gelezen. Maar dat was niet zo.

Soz, maar ik denk dat we ermee moeten stoppen! Ik bel je nog, F.

Het was waar. Ik was gedumpt door de Britse troonopvolger. Erger nog, ik was gedumpt per sms, een communicatiemiddel dat was bedoeld om te flirten en lieve berichtjes te sturen naar vrienden! Al mijn eerdere verwarring gleed uit me weg terwijl ik de wrede woorden las en herlas.

Het enige wat ik nu nog voelde, was boosheid en verontwaardiging. Ik keek op naar de bezorgde gezichten van de anderen en kwam woedend overeind. 'Oké. Die is er geweest.'

Malcolm stak zijn flesje omhoog. 'Daar drinken we op! Wat een miezerige eikel!' Ik weet best dat dit niet het moment was om aan dat soort dingen te denken, maar nu ik hem Fred een 'miezerige eikel' hoorde noemen, drong het opeens tot me door dat Malcolm er eigenlijk best leuk uitzag.

Georgina, Honey, Indie en Star pakten allemaal een flesje en stootten het tegen het flesje van Malcolm.

'Proost!' riepen ze allemaal.

Toen draaide Indie zich naar me om en zei: 'Je kunt altijd de Tegendump doen. Een meisje van Cheltenham Ladies heeft dat eens gedaan. Die knul was kapot! Hij heeft nooit meer iemand versierd.'

De Tegendump

Hoeveel tieners kun je kwijt in een slaapkamer voor drie meisjes? Het antwoord is tweeënveertig – het hele elfde jaar. Er zaten meisjes op randjes, op kastjes, zelfs in het bad – en allemaal droegen ze de afschuwelijke plastic armbanden van het Ondernemersinitiatief.

Die avond was ik uitgegroeid tot een beroemdheid, alleen niet op een goede manier, zoals Nelson Mandela, of die vrouw die dat wrede regime in Burma probeert weg te krijgen. Nee, mijn naam was omgeven met schande. Iedereen wist ervan. Meisjes, leraren, nonnen en huisloeders – iedereen was diep ontzet dat een van hen, een meisje van het Sint-Augustinus, op zo'n brute wijze was gedumpt.

Als je door de gangen liep, kon je overal flarden van gesprekken opvangen, zoals: 'Ik snap gewoon niet hoe zoiets kon gebeuren', en 'Ik heb gehoord dat hij gél gebruikt'.

Ik snapte net zo weinig van het feit dat ik gedumpt was als zij. Ik had alleen maar vragen, geen antwoorden. Maar het enige wat ik echt wilde, was een oplossing vinden en Indie beloofde me dat ze die voor me had.

'Oké. Het belangrijkste is dat we de eer van onze school redden, toch?' vroeg ze.

'En de eer van Calypso,' voegde Star eraan toe.

'Voorál de eer van Calypso,' zei Indie instemmend, terwijl ze lief naar me glimlachte. 'Een deskundige uitvoering van de Tegendump komt erop neer dat Calypso zorgt dat Freds weer helemaal stapelverliefd op haar wordt. En dan, net als hij beseft dat het leven zonder haar geen zin meer heeft, dumpt ze hem.'

'Goed, goed!' juichte de hele kamer.

'Geloof me, ik heb zelf gezien hoe een Tegendump werkt. Freds zal zich de rest van zijn leven een stuk varkensvoer voelen. Hij durft nooit meer een meisje te versieren.'

Iedereen verheugde zich enorm op deze uitkomst, maar... Ik bedoel, ik weet dat hij mij heeft gedumpt, maar een stuk varkensvoer? Ik weet niet of ik dat iemand toewens. Niet dat ik ook maar enig idee heb waar varkensvoer uit bestaat.

'Serieus, hij durft nooit meer een meisje te versieren,' herhaalde Indie, om het dramatische effect te vergroten.

Even stelde ik me Freds voor als een triest Lady Haversham-personage en ik begon te giechelen. Iedereen lachte mee. Terwijl ik om me heen keek naar de gezichten van de meisjes die op elkaar gepakt in onze kleine kamer zaten, schoot ik bijna vol. De school vormde een eenheid zoals ik nog nooit eerder had gezien. Zelfs Honey – die gezellig met Polo Centraal op de kleerkast zat – vond de Tegendump de enige manier om mijn waardigheid te redden. Het was voor mij een hele schok te horen dat Honey vond dat ik überhaupt waardigheid hád om te redden. Tenslotte had ze de afgelopen vier jaar haar best gedaan om me van al mijn waardigheid te beroven.

'Calypso?' vroeg Indie.

Portia gaf me een zetje, zodat ik uit mijn overpeinzingen wakker schrok. Ik besefte dat er een toespraak van me werd verwacht, dus flapte ik eruit: 'Ik wil Freds zien kruipen.'

De meisjes begonnen te klappen en met hun voeten te stampen op alles wat daarvoor in aanmerking kwam. Aangemoedigd door deze bijval vervolgde ik: 'Ik wil hem goed te grazen nemen.

Wat een rotzak, om onder dat grappige, uitstaande haar en die lekkere zoenlippen zo'n wreed karakter te verstoppen.'

Er ging opnieuw gejuich op en mijn emoties werden opgezweept door het vuur van de menigte. Misschien moest Freds zich inderdaad maar eens een stuk varkensvoer voelen. Al was het maar een beetje. Ik hoopte in ieder geval dat hij nooit meer een meisje zou kunnen versieren. Dat zou hem leren.

'Speech! Speech!' riep iedereen.

Ik voelde me net Cicero in zijn betere dagen toen ik begon: 'Wat hebben die jongens toch een enorme ego's. Wie denkt hij wel dat hij is? Afgezien van de kroonprins van dat stomme Verenigd Koninkrijk, bedoel ik. Als we toestaan dat hij mij zomaar dumpt, nou, dan zijn we straks allemáál aan de beurt!'

Het gebrul van het publiek kon wedijveren met dat van een willekeurige Romeinse menigte. Het was een wonder dat de huisloeders niet van alle kanten toestroomden om in te grijpen.

Star klapte als een flamencodanseres in haar handen om de vergadering tot de orde te roepen. 'Goed, dus niet alleen Calypso's eer, maar de eer van de hele school staat op het spel! Mee eens?'

Weer begonnen ze allemaal met hun voeten op de grond, tegen de zijkanten van de kasten, de muren en het bad te stampen om hun steun te betuigen. Toen zei Star: 'Indie heeft voorgesteld dat Calypso Freds op de knieën dwingt door middel van de Tegendump, een manoeuvre waarmee zelfs van de meest egocentrische jongen gegarandeerd niets heel blijft.'

Georgina legde haar handen over de oortjes van de arme Tobias – een pluchen beer wil altijd het liefst dat alles netjes heel blijft.

'Hoe durft hij me te dumpen per sms,' zei ik voor de miljoenste keer sinds ik zijn afschuwelijke sms'je had ontvangen.

'Nu zie je tenminste wat een enorme idioot hij is,' merkte Star op. 'Ik had na dat fiasco met die nepverkoudheid in Schotland toch al gezegd dat je hem moest dumpen?'

'En ík heb gezegd dat ik het heel vervelend vind om te horen: "ik had het je toch al gezegd",' antwoordde ik.

Star bloosde. 'Sorry, schat. Beschouw het maar als materiaal voor je songteksten,' adviseerde ze wat vriendelijker, terwijl ze me haar lipgloss toegooide. 'We gaan je allemaal helpen je eer te wreken.'

'Wees toch niet zo'n cultuurbarbaar,' viel Honey heftig uit. 'Denk eens aan Calypso, die arme schat. Ze komt uit Amerika. Iedereen weet toch dat ze daar niet weten wat eer is?'

Star trok haar schoen uit en smeet hem naar Honey. Maar ons *bête noire* ving hem handig op, keek even naar het merk, trok haar gecorrigeerde neusje op en gooide hem meteen weer terug.

Ik weet dat ik me beledigd had moeten voelen door wat Honey zei, maar het afschuwelijke was dat ik bang was dat ze misschien gelijk had! Ik zat totaal niet in over mijn eer; ook niet over de eer van de school trouwens. Ik wilde ontroostbaar huilen in mijn kussen en daarna doen alsof Freds dat kussen was en er heel hard in stompen.

'Indie heeft gelijk. Het enige wat je kunt doen, is hem op-nieuw verleiden. En als hij dan smoorverliefd op zijn knieën voor je ligt, stuur je hem een sms'je waarin je hem dumpt,' zei Fenella, zonder op te kijken van het paardentijdschrift waarin ze zat te bladeren.

'Maar ik héb hem nooit verleid. Ik heb hem verslagen met schermen,' legde ik uit.

'Wat is schermen?' vroeg Perdita.

'Het is iets met zwaarden, maar zonder paard, schat,' legde Georgina uit.

'Hm.' Perdita knikte. 'Net zoiets als waterpolo, bedoel je?'

'Precies,' zei Star, terwijl ze me aankeek en met haar ogen rolde.

'Maar hoe gaan we het nou precies doen met dat verleiden?' vroeg Portia. 'Ik wil niks zeggen, maar Calypso is geen Mata Hari.'

'Ik denk dat we een lokkertje moeten hebben,' stelde Honey voor. 'Ik zou bijvoorbeeld Freds kunnen afleiden met een zoen en…'

'Hij zei dat hij nog zou bellen,' zei Portia met de kalme waardigheid van iemand wier titel generaties teruggaat. De rest van de wereld wil net als Star altijd het liefst met schoenen naar Honey smijten. 'Laten we ervan uitgaan dat hij woord houdt en Calypso opbelt.'

Ik pakte mijn mobiel om te checken of hij aan stond. 'Maar wat moet ik zeggen als hij me belt?' vroeg ik. 'Als hij dat echt doet, bedoel ik.' Ik twijfelde nu aan alles.

'Wat je ook doet, je neemt niet op,' adviseerde Indie vastberaden.

'Dat kan ik niet,' zei ik. Dat was waar. Ik ben niet iemand die mensen kan laten bellen. Dan word ik stapelgek van nieuwsgierigheid.

Star pakte de telefoon van me af en begon allerlei toetsen in te drukken. 'Ik heb hem zacht gezet en dat blijft zo,' zei ze vastberaden, terwijl ze hem naar me teruggooide.

'Maar zou hij dan geen boodschap inspreken?' vroeg ik.

'Nee,' zei Perdita, op de toon van een kenner. 'Jongens spreken nooit vervelende boodschappen in. Misschien zegt hij gewoon dat hij nog terugbelt, of dat hij je ziet bij de eerstvolgende polowedstrijd, of dat jij hem moet terugbellen.'

'Zaterdag,' zei Star. 'Dan gaat Calypso met een stel vriendinnen naar Windsor en dan vragen we Malcolm om daar met een stel vrienden ook naartoe te komen. Als Freds je dan ziet, ben je omringd door vriendinnen en knappe jongens.'

Dat klonk als een goed plan, maar was Malcolm wel het ideale lokaas? 'En als het hem nou niks kan schelen dat ik met een stel vriendinnen en vrienden van Malcolm ben?' vroeg ik. Ik weet dat het schandalig egocentrisch klinkt, maar het liefst wilde ik dat het hem verschrikkelijk veel kon schelen, en dat hij me zodra hij me zag, zou smeken om hem terug te nemen. Dan zou ik hem natuurlijk meteen afpoeieren, maar eerst wilde ik weten dat het hem iets kon schelen.

Star grinnikte luidruchtig. 'O, schat, wat ben je toch heerlijk naïef als het om jongens gaat. Freds heeft dan wel weinig diepgang, maar zijn ego is enórm. Hij merkt je echt wel op als je met Malcolm bent. Weet je nog hoe jaloers hij was toen je op die regenachtige avond op het Eades per ongeluk Malcolms kamer in was geklommen?'

'Maar hij weet dat Malcolm en Indie iets met elkaar hebben, tenminste zo goed als. Hij zal denken dat ik me probeer op te dringen.'

Indie keek geschokt. 'Sinds wanneer hebben Malcolm en *moi* iets met elkaar?'

Ik knipperde zo heftig met mijn ogen van verwarring, dat ik een stekende hoofdpijn voelde opkomen. 'Eh... sinds een eeuwigheid?'

'Ben je gek of zo?' vroeg ze, hoewel die vraag duidelijk retorisch bedoeld was. 'Malcolm is cool, maar...' Ze schudde haar vlechten en zei: 'Portia, leg jij het maar uit.'

Het was allemaal *très, très, très* verwarrend

Alle tweeënveertig meisjes werden stil toen Portia met haar ogen rolde en zei: 'Indie heeft iets met Tarquin.' Georgina gooide Tobias naar haar toe. 'Tobias kan niet tegen geheimen. Waarom heb je het ons niet verteld?' vroeg ze nijdig.

De rest van de kamer mompelde verontwaardigd. Indie gaf Tobias een kusje op zijn neus en gooide hem terug naar Georgina. 'Omdat Star en jij zo liepen te zeuren dat we niet te veel met jongens bezig moesten zijn.'

'Heeft niemand op deze school ooit gehoord dat je alles kunt overdríjven?' steunde Star.

'Ik dacht ook dat jij en Malcolm iets hadden,' zei Perdita.

'Shitterdeshit,' vloekte Star. 'Maar goed, laten we even bij de les blijven. Als Freds naar je toe komt, stinkend jaloers natuurlijk, moet je daar heel achteloos en luchtig op reageren. Charmant maar afstandelijk, weet je wel? Je kijkt hem aan met een glimlach alsof je je niet goed herinnert wie hij is.'

'Maar je moet het ook weer niet overdrijven,' waarschuwde Georgina, terwijl ze Tobias' vacht borstelde. 'Ik bedoel, jongens zijn niet slim, maar ze hebben het meestal wel in de gaten als je ze in de maling neemt.'

'Dat is zo. Je moet gewoon een beetje flirterig doen, zonder echt te flirten, als je begrijpt wat ik bedoel,' stelde Arabella voor.

'Je weet wel, een beetje met je haar spelen, een beetje je lippen tuiten, vrolijk giechelen.'

'Wat? Freds zal denken dat ik gek geworden ben als ik opeens vrolijk ga giechelen. Ook als ik op een andere manier ga giechelen trouwens. En wat betreft dat lippen tuiten en spelen met mijn haar... Hij zal denken dat ik rijp ben voor het gesticht en me met een busje laten afvoeren naar een gekkeneiland.'

'Ze heeft gelijk,' zei Honey instemmend. Toen keek ze me met haar grote blauwe ogen medelijdend aan. 'Arme, arme Calypso. Wat ben je toch een sneu manwijfje. Ik zal je de kunst van het verleiden wel bijbrengen, schat,' zei ze op lichtelijk dreigende toon. 'Ik ben een en al verleiding. Ik héét zelfs Verleiding.'

Het erge was dat dat waarschijnlijk nog waar was ook. Tenslotte was de tweede naam van haar zus Poppy Minxy-Darling. Ik zweer het je: Minxy-Darling. Geen wonder dat die twee zo geschift zijn.

'Waar het om gaat,' zei Indie ernstig, 'is dat je moet zorgen dat hij je ont-zet-tend graag terug wil.'

'Verschrikkelijk, ontzettend graag,' voegde Bells eraan toe.

'En als hij dan denkt dat hij je terug heeft, dump je hem van enorme hoogte,' legde Indie uit.

'En daarmee vernietig je al zijn hoop dat er ooit nog iemand van hem zal houden,' concludeerde Honey, terwijl ze haar spiegelbeeld bewonderde in haar Chanel-poederdoos.

'Mag iemand van ons hem nog wel eens versieren? Als de Tegendump geweest is, bedoel ik?' vroeg Clems.

We zaten allemaal hard te lachen toen Miss Bibsmore met wapperende ochtendjas kwam binnenvallen. Ze was laaiend. 'Ik heb achter de deur naar jullie staan luisteren. Niemand haalt het in zijn hoofd om die kleine lamstraal ooit nog te versieren, begrepen?' raasde ze. Ze zwaaide haar stok in het rond, zodat ze bijna een paar meisjes onthoofdde. 'Wat een schande, om zo'n lief meisje als Miss Kelly zo honds te behandelen. Alle leraren en nonnen staan achter je, daar kun je van op aan. Jullie moeten dat brutale ettertje leren dat een meisje van het Sint-Augustinus haar trots heeft. Zo'n arrogante kwast is niets voor dames als jullie. Deze school zet hem op de zwarte lijst. Zonder pardon. Ik voel er veel voor om zuster Constance aan te raden een haatclub op te richten, zoals we destijds hebben gedaan voor… Nou ja, dat doet er nu niet toe.'

'Een haatclub.' Honey zei de woorden alsof een droom werkelijkheid werd. 'Dát zou nog eens cool zijn. We zouden buttons kunnen maken en een website oprichten en aanvalsplannen opstellen.'

'Ja, zoiets,' zei Miss Bibsmore aarzelend, duidelijk in de war gebracht nu bleek dat ze met Honey op één lijn zat.

Op dat moment stak Miss Cribbe, ons huisloeder van vorig jaar, haar hoofd om de hoek van de deur. 'Hallo, liefies, jullie weten dat je ook nog altijd op mij kunt rekenen, hè? Als ik iets kan doen om die verwaande koninklijke kwal op zijn plek te zetten, zeggen jullie het maar.'

Alle meisjes juichten, en toen kwamen de nonnen binnen.

'En vergeet de oudjes in het klooster niet,' riep de kleine zuster Regina, met haar gezichtje dat gerimpeld was van het vele bidden en zorgen maken. 'We hebben misschien niet zo veel ervaring met jongens, maar we staan allemaal achter jullie. Zuster Constance heeft gezegd dat we jullie al onze steun mogen aanbieden. Hoewel ik moet zeggen dat Freddie een heel aardige jongeman leek, toen we hem tijdens het Nationale Kampioenschap ontmoetten. Een echte heer.'

Ik was diep ontroerd. Het was erg aandoenlijk, maar tegelijkertijd een beetje angstaanjagend om te weten dat iedereen ons zo steunde. Ik wist dat ik woedend was op Freds, maar was ik echt al zo ver dat ik de Tegendump kon uitvoeren?

'Ik wijt het aan de ouders,' zei Miss Bibsmore vastberaden tegen zuster Regina. 'Die jongen is altijd veel te veel verwend en in de watten gelegd.'

Daar moesten we allemaal weer verschrikkelijk om giechelen, en verschillende meisjes vielen van de kasten en de commodes.

Miss Bibsmore zwaaide naar ons met haar stok. 'Er valt hier niets te giechelen, meisjes. De eer van de school staat op het spel.'

We lachten heel wat af, maar de bittere treurigheid van mijn situatie overviel me toen iedereen weer naar zijn eigen kamer was. Eindelijk vond ik de moed om het sms'je van Sarah en Bob te beantwoorden dat ze me gisteren hadden gestuurd en waarin ze informeerden naar mij, mijn schoolwerk en die gore smeerlap, Freddie.

School is keihard werken, maar ik hou vol. xxx C.
PS: Met Freds gaat het prima. Jullie moeten de groeten hebben.

Ik bedoel, ik kon ze moeilijk vertellen dat Freds me per sms had gedumpt, toch? Sarah en Bob kennende zouden ze dan onmiddellijk in hun gênante auto springen om Freds uit zijn warme bed te sleuren en hem een van hun eindeloze preken te geven.

Maar na die leugenachtige sms over Freds die hun de groeten deed, was ik zo van streek dat ik mezelf in slaap huilde.

Dutten op een zee van blauwtjes

Het raadsel van mijn verdwenen rokken werd maandag-ochtend opgelost toen Indie ze geplet en wel achter onze volkomen nutteloze, niet-verwarmende verwarming vandaan haalde.

'Waarschijnlijk heeft Sebastian ze daar verstopt,' giechelde Clems. Ik kon niet eens kwaad worden op Sebastian, al mijn woede was gericht op Freds.

In de chaos van kletterende borden en pratende stemmen in de eetzaal zwaaide Star dat we bij haar aan tafel moesten komen zitten. Ze had al een bank voor ons vrijgehouden. 'Ik heb Malcolm vanmorgen gebeld en hij is helemaal in voor Operatie Tegendump,' zei ze, terwijl we gingen zitten. 'Zaterdag om twee uur komen we bij elkaar, in Windsor.'

'Hij haalt er ook allemaal knappe jongens van zijn filmclub bij,' vulde Portia aan. 'Dat heb ik van Tarkie gehoord.'

Ik stelde me een horde pukkelige filmidioten voor in strakke, zwarte kleren, die over niets anders konden praten dan Federico Fellini. Ik ging al bij voorbaat bijna dood van verveling, maar Indie zat te wiebelen op haar stoel van opwinding, dus ik zei maar niets. Tarquin zag er best leuk uit – en was ook lid van Malcolms filmclub – dus Indie was ongetwijfeld verrukt bij het vooruitzicht hem weer te zien.

Zelf was ik iets minder enthousiast. In de eerste plaats was ik er niet van overtuigd dat Freds zaterdag zou komen opdagen. En als hij dat wel deed, was ik er niet zo zeker van dat hij het heel erg zou vinden om mij en mijn vriendinnen te zien kletsen met Malcolm en zijn sukkelige filmnerds met hun stomme strakke zwarte kleren.

Maar Star ging helemaal op in haar missie. 'Zie je wel, alles verloopt volgens plan,' zei ze, terwijl ze een stuk croissant in mijn mond duwde, zodat ik haar niet kon tegenspreken.

Na de mis en de kamerinspectie gingen we naar wiskunde, waar Mr. Templeton al gretig klaarstond om onze jonge geesten te prikkelen met moeilijke sommen en interessante formules. Zo praatte hij ook echt.

'Ik heb hier iets verbazend interessants om die grijze cellen van jullie vandaag mee te prikkelen, meisjes,' zei hij, terwijl hij als een soort machiavellistische priester van het kwaad in zijn handen wreef.

Wij deden ons best om geboeid en geïnteresseerd te kijken – of in ieder geval niet ter plekke dood te gaan van verveling – maar dat was een *très, très, très* grote uitdaging.

'Ja, meisjes! Dit is mijn favoriete onderwerp en ik hoop van harte dat jullie er straks net zo enthousiast over zullen zijn als ik. Het heet trigonometrie, of zoals onze oude Latijnse vrienden het noemden, *trigonometria.*'

Ik denk niet dat ik de enige in de klas was die zich afvroeg welke oude Latijnse vrienden hij bedoelde. Ik vraag me eerlijk gezegd af of Templeton überhaupt vrienden heeft, met die trieste, krankzinnige neigingen van hem.

De meeste meisjes in de klas zaten stiekem de rest van hun ontbijt op te eten, onder hun bureau hun sms'jes te checken, of hun etuis vol te kalken met maffe teksten over jongens.

Maar Mr. Templeton liet zich niet ontmoedigen. Hij dramde maar door en verzon er allerlei belachelijke woorden bij, zoals 'sinus', 'cosinus' en andere flauwekul. Ik legde mijn hoofd op de tafel om even lekker weg te soezen. Ik had de vorige avond niet zo goed geslapen, vanwege al dat Tegendumpgedoe.

Ineens kreeg ik een stuk krijt tegen mijn kop. Ik zweer je dat mijn hoofd er bijna af lag. Als dat niet tegen de Europese Wet voor de Rechten van de Mens is, weet ik het niet meer.

'Miss Kelly, lag je te slapen?' vroeg Mr. Templeton.

Echt, dommer dan die man moeten ze nog geboren worden. 'Natuurlijk lag ik te slapen!' riep ik, terwijl ik over mijn pijnlijke hoofdje wreef.

Hoe moet je je ogen openhouden als iemand zo'n zeurverhaal staat af te steken over het meten van driehoeken? Ik hou niet eens van driehoeken. Ze zijn niet natuurlijk. Maar ja, dat is Mr. Templeton ook niet.

Enfin, het was mijn plicht als welopgevoede leerling om dat misselijke mannetje te plezieren. Dus zei ik met een poeslief stemmetje: 'Sorry, Mr. Templeton. Ik lag alleen even heerlijk te dromen over sinus, cosinus en eh… dat andere grappige trigono-modinges waar u ons over vertelde.'

Mr. Templeton liet zich zelfs niet een klein beetje milder stemmen door mijn excuus. 'Mooi, dan zul je vast geen moeite hebben om drie blauwtjes bij me in te leveren met een uiteenzetting over de fascinerende tabellen die ik net aan iedereen heb uitgelegd.'

Echt, de wilde jaren waarin Pythagoras een mensenmenigte wist te boeien met formules en ingewikkelde sommen waren lang vervlogen, vooral dankzij leraren als Mr. Templeton.

Al met al werd het voor mij een erg blauwe week. Iedere keer als ik even in de klas probeerde weg te dutten, stond er wel weer een of andere sadistische leraar klaar om me te bedelven onder de blauwtjes.

Het gaf wel afleiding, zodat ik niet steeds aan Freds hoefde te denken, die me iedere avond één keer opbelde. Het kostte me meer wilskracht dan ik ooit bij mezelf voor mogelijk had gehouden om niet op te nemen. Zoals de wijze meiden van Polo Centraal al hadden voorspeld, sprak hij geen boodschap in. Als ik niet zo moe was geweest van het oefenen voor onze reis naar Florence met het nationale schermteam, zou ik me suf hebben gepiekerd over de vraag waarom hij me steeds maar één keer per avond opbelde. Betekende dat dat hij maar één keer aan mijn arme, gebroken hart dacht? Of probeerde hij beschaafd en fatsoenlijk te zijn en wilde hij me niet te veel lastigvallen?

Ik had graag minstens honderd keer per dag wanhopig opgebeld willen worden. Ik had hem graag eerloos horen snotteren op mijn antwoordapparaat. Dan had ik tenminste geweten dat mijn charmes sterk genoeg waren om een jongen in tranen te brengen. Nu had ik alleen maar de pest in. En zo kwam ik op het idee om songteksten te gaan schrijven.

Ik weet dat het alleen maar een eerste opzet was voor de allereerste songtekst van mijn leven, maar vrijdag was ik er absoluut van overtuigd dat het een fantastische tekst was. Bevend van trots rende ik naar de muziekvleugel om mijn werkstuk aan Indie en Star te laten lezen. Die zouden mijn zelfvertrouwen vast de oppepper geven die ik hard nodig had.

Ze pakten de pagina's van me aan en Star begon de tekst hardop voor te lezen, zonder er ook maar een greintje gevoel in te leggen.

Hij stal mijn hart met zijn grappige haar
En toen brak hij het in twee, o jeeee, o jeeee.
Mijn hart is gebroken en ik ben in de war,
Ik weet niet wat ik moet doen, oeeee, oeeee.
Als ik niet bang was meer blauwtjes te krijgen,
Zou ik hem aan mijn sabel rijgen,

Ja, dat ik precies wat ik zou doen! Oeeee! Oeeee!
Dat is precies wat ik zou doen, oeeeeeeee jaaaaaaaaa.

Star en Indie noemden het 'een goede eerste poging', dus dat was wel een beetje een afknapper. Toch probeerden ze er wel meteen een melodie bij te bedenken – als je de herrie die hun band maakt tenminste melodieus kunt noemen.

Indie maakte wel iets moois van het zingen van de tekst, die naar mijn bescheiden mening schitterend uit de verf kwam, echt heel ontroerend. Maar Star zei dat hij niet lang genoeg was en Indie opperde dat ik er 'misschien nog een beetje' aan moest werken.

'Of misschien wel een beetje veel,' voegde Star eraan toe.

Net als de meeste rockroyals zou Star soms best íéts minder eerlijk mogen zijn. Op de piste wist ik haar meestal wel in te tomen, maar in de muziekzaal was ze nog erger dan Lullo tijdens de Nationale Kampioenschappen.

Ik liet ze alleen, zodat zij samen nog lekker wat depri akkoorden uit hun gitaar konden rammen. Ik zocht mijn toevlucht in het dierenverblijf, waar Dorothy mij de warmte en liefde gaf die ik zo hard nodig had. Ik zweer je dat konijnen echt supergevoelig zijn, zeker voor dieren die weinig anders aan hun hoofd hebben dan sla en worteltjes.

Zet jezelf op de kaart met de outfit
van je antivriendin

Zuster Constance gaf alle meisjes van het elfde jaar zaterdag vrij van school, zodat we ons konden 'mooi
maken voor Operatie Tegendump', een prachtig
christelijk gebaar, vind ik. We mochten ook pizza van haar bestellen! De hele school sloeg steil achterover van verbazing. Ik
weet best dat we vaak genoeg zelf pizza bestellen, maar dan gaat
het stiekem en bedenken we allerlei slimme trucs om de pizzabe-
zorger naar binnen te smokkelen. Meisjes op kostscholen zijn
erg slim in dat soort dingen.

Maar serieus, ik had die dag meer stress over wat ik moest aantrekken dan toen ik naar mijn eerste feestje ging, of naar mijn
eerste VIP-bal. Mijn outfit moest ultra de rigueur zijn. Als ik zeg
dat ik me onder druk voelde staan, is dat nog heel eufemistisch
uitgedrukt – of moet ik zeggen euritmisch? Hoe dan ook, ik was
één bonk stress.

Mijn outfit was grotendeels geïnspireerd en gesponsord door
Honey. Ondanks al haar fouten had ze dus ook haar goede kanten. Neem bijvoorbeeld Siddharta. We waren langzamerhand
erg gesteld geraakt op de pacifist in zijn oranje gewaad. Zelfs
Miss Bibsmore begon een zwak voor hem te ontwikkelen. Bovendien had Honey een ongelofelijke voorraad designkleding en
schoenen.

'Schat, als je die arme Freddie serieus wilt verleiden, kun je echt niet je eigen trieste kleren aantrekken,' zei mijn kwaadaardige antivriendin tegen me. 'Ik bedoel, waarschijnlijk heeft hij je daarom juist gedumpt, liefje.' Ze ging rustig verder met het vijlen van haar vlijmscherpe nagels, terwijl ze eraan toevoegde: 'Bovendien, hij heeft de meisjes maar voor het uitkiezen, dus tja…' Ze liet haar woorden langzaam wegsterven, liet haar nagelvijl op de grond vallen en veegde een denkbeeldige traan uit haar oog. Op de een of andere manier wist ze me altijd het gevoel te geven dat mijn leven te triest was voor woorden – en dat ze het dus maar met gebaren moest zeggen. En ze wist altijd de perfecte gebaren te vinden om mijn tekortkomingen weer te geven.

Star en de rest waren het eens met haar keus: een ultrakort, koffiekleurig suède rokje. 'O, ja, blote benen zijn helemaal in,' adviseerde Georgina. Bij het minirokje hoorden een paar botergele suède Jimmy Choos, die me het ergste deden vrezen. 'Maar stel dat ik ze nat- of vies maak?' vroeg ik angstig. Het laatste waar ik zin in had, was dat ik Honey op mijn nek zou krijgen omdat ik haar laarzen had bedorven.

'O, schat, die zijn zóóó van vorig jaar. Ik zal eerlijk zijn: ze waren voor jou of voor de vuilnisbak.'

'Freds weet toch niet dat ze van vorig jaar zijn. Jongens zijn hopeloos met kleren,' zei Portia vriendelijk. 'Tarkie heeft geen enkel benul van mode en papa laat zijn bediende zijn kleren voor hem uitzoeken.'

'Ik vind altijd dat Tarquin er hartstikke cool uitziet,' zei Indie, waarna we haar allemaal genadeloos begonnen te pesten met haar vurige liefde voor de superserieuze Lord Tarquin.

Star stond erop dat ik haar gescheurde kasjmier trui moest aantrekken. Ze zei dat ik daar mezelf mee 'op de kaart' zette.

'Ja, als een meisje zonder vriend,' merkte Honey sarcastisch op. 'Nou ja, meiden, als dat de look is die je zoekt, ga je je gang maar.' Ze stak met een smalend gezicht een sigaret op. Dit bracht Star in de verleiding om de Fébrèze te pakken en me van onder tot boven in te spuiten, zodat ik er bijna in stikte. Serieus, tegen de tijd dat ik klaar was om voor de jongens als lokaas te dienen, was ik op van de zenuwen.

Hoewel het vroor dat het kraakte, mocht ik geen panty aan, omdat, zoals Georgina zei, 'geen enkele jongen een meisje wil met de kousen van haar oma aan'. 'Zelfs Tobias kan ze niet uitstaan,' voegde ze eraan toe, en ze trok een gezicht alsof alleen de gedachte aan een panty haar al migraine bezorgde.

Op dat moment stak Miss Bibsmore haar hoofd om de hoek van de deur. 'Ze heeft gelijk, moppie, je wilt er niet uitzien als een ouwe oma.'

'O, nou, en jij kan 't weten, lelijk oud wijf,' snauwde Honey.

Miss Bibsmore liet zich niet uit haar tent lokken. Ze schuifelde zonder iets te zeggen op haar enorme hondensloffen de kamer uit. Ik denk dat ze wist dat de stijl waarmee ik me die dag op de kaart ging zetten in handen lag van een vals, rijk kreng – en niemand voelde er die dag iets voor om Honey tegen zich in het harnas te jagen.

Georgina stond erop dat ik een van haar peperdure pashmina's zou lenen, waar ik al sinds het begin van het jaar verliefd op was. Hij voelde zo heerlijk zacht aan dat hij me even aan Dorothy deed denken, tot Honey hem als een wurgkoord strak om mijn nek trok.

Portia leende me haar prachtige diamanten oorbellen en Clems en Indie deden mijn haar, wat uren in beslag nam, omdat het er wild en verwaaid moest uitzien, maar tòch perfect moest blijven zitten. Indie had daar allerlei crèmepjes en verschillende soorten haarlak voor. Clems had een professionele turbohaardroger, die volgens mij zijn leven ooit als vliegtuigmotor was begonnen.

Afgezien van tien centimeter lipgloss en drie potjes mascara deed ik geen make-up op, omdat iedereen weet dat jongens een natuurlijke look altijd het mooiste vinden.

Alle andere meiden van mijn jaar hadden zich al even schitterend uitgedost. Zelfs de polotweeling zagen er in hun piepkleine plooirokjes en gouden sandaaltjes met superdunne bandjes uit alsof ze zo uit een fantasiebeeld van Saint-Tropez kwamen stappen. Maar niet alleen zij, iedereen zag er fantastisch uit. Toen de taxi's voorreden en ik voor het instappen nog even om me heen keek, werd ik overvallen door een gevoel van trots. Bob loopt altijd te zaniken over de banden van ware vriendschap, maar hij zanikt ook dat je je groenten goed moet wassen, dus als het even kan luister ik niet naar hem. Maar nu had ik echt een keer het gevoel dat ik begreep wat hij bedoelde – niet dat over dat groenten wassen, maar over vriendschap en solidariteit. Al deze mensen kwamen voor me op – nou ja, voor mij en de eer van de school. Sommige meisjes kende ik nauwelijks, maar ze stonden toch voor me klaar. Zij trotseerden de kou met hun blote benen, allemaal om mijn eer te redden. Het was om verlegen van te worden.

Zuster Constance, de rest van de nonnen en alle huisloeders stonden in een lange rij langs de oprit opgesteld om ons uit te zwaaien. Zuster Regina en zuster Bethlehem hadden een spandoek genaaid met de tekst: GEEF HEM DE TEGENDUMP! ZET HEM OP, MEISJES! Dat was *très, très* lief en ik had er zeker om moeten huilen, als mijn ogen niet zo dik onder de mascara hadden gezeten. Miss Bibsmore bracht ons een saluut met haar stok. Ik kreeg er bijna een brok van in mijn keel. Bijna, want toen begon ik te bezwijken onder de enorme druk van wat ik ging doen.

Gelukkig koos mijn *bête noire* dat moment uit om me keihard in mijn arm te knijpen en te zeggen: 'Je ziet er niet eens zó afzichtelijk uit, schat.'

Eigenlijk zagen we er allemaal superfantastisch uit. Iedereen heeft wel eens het gerucht gehoord dat meisjes die op het Sint-Augustinus worden toegelaten, moeten kunnen aantonen dat ze mooi zijn en een goed figuur hebben en niet dat ze intelligent zijn. Ik weet niet of dat gerucht klopt, maar we zagen er inderdaad prachtig uit. En dat zeg ik in alle bescheidenheid.

Licht, camera… actie, majesteit

*I*k moest het Malcolm nageven. Hij had voor Operatie Tegendump echt alle registers opengetrokken. De filmclub, die ik me had voorgesteld als een stelletje slome, bleke losers, bleek te bestaan uit jonge goden, die regelrecht van de Olympus waren komen afdalen.

En ik was die dag niet de enige die ze met open mond stond aan te gapen. Meer dan zestig razend knappe jongens, gekleed in coole, ultra-anti-Sloane kleren, hadden zich verzameld op de brug voor Windsor. Ze zagen eruit als… Nou ja, ze zagen eruit als extra's voor een goede arthouse film, eigenlijk. En ze trokken heel wat bekijks, zowel van de plaatselijke bevolking als van toeristen.

Indie, Star, Georgina, Clems, Portia, Honey, Arabella, Fen, Perdita en… nu ja, ik ga ze niet allemaal opnoemen. Maar stel je tweeënveertig meisjes voor van het elfde jaar, opgetut als mannequins, die uit een lange rij taxi's en minibusjes komen stappen. En stel je dan voor dat die meisjes oog in oog komen te staan met de knapste jongens die het Eades te bieden heeft.

Het bracht heel wat opschudding teweeg, dat kan ik je wel vertellen.

Het was net een schoolfeest zonder leraren. Een VIP-bal zonder uitsmijters – hoewel het in dit geval natuurlijk wemelde van de bewakers. Siddharta stond met zijn oranje gewaad en zijn draaiende gebedsmolen een beetje apart van de andere body-guards, met hun strakke pakken en hun oortjes. Ik denk niet dat ze hem echt als een van hen accepteerden. Hun gezamenlijke afkeuring voor zijn monnikskleding en zijn vreedzame uitstraling was bijna voelbaar.

Onze monden vielen open toen de jongens als een schaal vol verrukkelijke wandelende lekkernijen op ons af kwamen lopen. De razendknappe Lord Orlando Hunte, die ik afgelopen zaterdag had ontmoet, filmde met zijn videocamera hoe de twee groepen elkaar benaderden. Het moet er fantastisch artistiek hebben uitgezien. Het was zo'n filmmoment dat je maar één keer in je leven meemaakt – tenzij je een It Girl of een Hollywoodster bent.

Malcolm had een megafoon bij zich, maar die gebruikte hij jammer genoeg niet toen hij zei: 'Mag ik zeggen dat je er vanmiddag oogverblindend mooi uitziet, Calypso?'

Ik bloosde niet, maar dat was alleen omdat het zo koud was en ik mijn gezicht niet voelde. Maar mijn hart maakte wel een sprongetje. Ik was diep ontroerd, niet alleen door zijn compliment, maar ook door wat hij voor me had gedaan. Ik bedoel, deze hele schitterende show was voor mij. En nu ik wist dat hij niets met Indie had...

'Ja, Malcolm, je mag zeggen dat ik er vanmiddag oogverblindend mooi uitzie, als ik je dan maar mag bedanken voor... Nou ja, dat je dit allemaal hebt geregeld,' zei ik, met een gebaar naar zijn vrienden.

'Wanhopige tijden vragen om wanhopige maatregelen,' zei hij grimmig.

Ik wist niet wat hij daar precies mee bedoelde, maar ik kreeg niet de kans om het te vragen, want op dat moment zette hij de megafoon aan zijn mond en riep hij: 'Ik wil namens de Eades Film Society, die hier vandaag bijeen is, zeggen dat het ons een eer is om als jullie lokaas op te treden. Vrees niet, beeldschone wezens van het Sint-Augustinus, de meeste van deze heren hebben enige theaterervaring en iedereen die hier aanwezig is, zal zich voor de volle honderd procent inzetten voor jullie eh… Tegendumpsituatie. Nietwaar, heren?' vroeg hij aan zijn gevolg.

Ik moet toegeven dat ik onder de indruk was van zijn magistrale aanpak. Het stoorde me niet dat de meeste jongens Malcolms toespraak negeerden en gewoon met elkaar bleven doorpraten (behalve enkelingen, zoals Tarquin en Billy, die zich onder de groep van het Sint-Augustinus hadden gemengd om met meisjes te praten die ze kenden). Intussen stonden de toeristen en het algemene publiek zich te vergapen aan dit magnifieke gezelschap.

Malcolm deed alsof ze hem allemaal hadden toegejuicht zoals de Romeinen Marcus Antonius toejuichten toen hij kwam om Caesar te begraven. Ik vond dat heel knap van hem.

'Goed,' zei hij tegen de menigte, die volkomen in beslag werd genomen door andere zaken. 'Het plan is dus dat oude Pyke jonge Pyke opbelt en hem het sein geeft om onze prooi in de val te lokken.'

Ik vond het niet prettig om zijn toespraak te onderbreken, maar ik klopte hem toch op de schouder. 'Welke prooi bedoel je?'

Malcolm keek verward. Maar ja, zo kijkt hij wel vaker. Ik denk dat dat komt omdat hij altijd met honderd dingen tegelijk bezig is.

'Freddie,' legde Billy – ook wel bekend als oude Pyke – uit.

'O, ja, natuurlijk,' zei ik.

'Dat weet je dan ook weer.' Volgens mij vond Billy het een krankzinnige toestand. 'En, ben je al helemaal klaar voor vertrek naar Florence, morgen?'

Dit hele gedoe met dumpen en tegendumpen had me nogal

afgeleid van mijn Grote Droom, maar dat kon ik moeilijk tegen Billy zeggen, dus knikte ik alleen maar. Het was gek, want voor Freddie in mijn leven kwam, kon ik aan niets anders denken dan aan internationaal sabelkampioen worden. En nu de kans om me te onderscheiden binnen handbereik lag, kon ik aan niets anders denken dan aan jongens, precies zoals Star had gezegd.

Malcolm gaf de megafoon aan iemand naast hem en vroeg Billy om Kev te bellen. Hij begon met een vage blik om zich heen te kijken. Misschien zocht hij zijn regisseursstoel.

Billy liep naar de brug, om het telefoontje met zijn broer min of meer 'privé' te kunnen afhandelen. Toen hij terugkwam, gaf hij Malcolm een knikje. Het was allemaal erg samenzweerderig en spannend. Ik begon me nogal draaierig te voelen.

Malcolm pakte de megafoon terug en zei tegen zijn filmvrienden: 'Goed, heren, het gaat gebeuren. Jullie gaan je kostelijk vermaken met deze oogverblindend mooie meisjes. Denk aan je rol. Je bent vrolijk. Je bent ontspannen. Je bent jong en wild. Stap in je rol, ga het toneel op en flirt met gevoel. Actie!'

Na die woorden gebeurde er iets wonderbaarlijks. Plotseling waren alle jongens druk in gesprek gewikkeld met de meisjes. En dan heb ik het niet alleen over de mensen van wie je het kon verwachten, zoals Billy die met Portia stond te kletsen en Tarquin met Indie. Overal ontstonden paartjes, hoewel er ongeveer twintig meer jongens waren dan meisjes. Als je het mij vraagt, is drie jongens op één meisje trouwens een perfecte verhouding bij sociale gelegenheden. Ik zag zelfs dat Star als een gek stond te flirten met Orlando. Ze gebruikte dat *très* in het oog springende trucje, waarbij je de knopen van een jongen zijn overhemd aanraakt terwijl je met hem staat te praten. Orlando stond erbij alsof hij ter plekke werd betoverd.

En toen richtte Malcolm de volle kracht van zijn persoonlijkheid op mij. Hij zei tegen me dat hij al gek op me was sinds hij me als een verzopen kat aan de blauweregen onder zijn raam had zien hangen. Hij vertelde me dat hij sinds die avond steeds aan me had moeten denken. 'Zie je, de reden waarom ik gewoon doorging met dvd's sorteren en net deed of ik geen enkele aandacht voor je had, was dat ik als de dood was dat je zou merken dat ik stapelverliefd op je was. En dat je me dat kwalijk zou nemen, of op me neer zou kijken.'

Mijn mond viel even open terwijl ik me afvroeg of hij dit allemaal meende of dat het bij zijn 'rol' hoorde. Het enige wat ik wist terug te zeggen was: 'Ach, kletskoek!' Eerlijk, ik weet ook niet waar ik dat soort onzinnige uitdrukkingen vandaan haal.

'Om heel eerlijk te zijn, Calypso,' zei hij, terwijl hij met zijn vinger langs mijn kaaklijn en mijn nek gleed, wat me een vreemd duizelig gevoel gaf, 'heb ik nog nooit zo'n grappig, origineel meisje ontmoet als jij.'

'Gossie,' mompelde ik, terwijl ik hem in zijn ogen staarde. Het was een hele verandering om te flirten met een jongen die stukken langer was dan ik. Het is op den duur nogal vermoeiend om tegen de bovenkant van iemands hoofd te flirten – ook al zitten daar hartstikke coole, grappige plukjes haar op.

'Je blijft me steeds weer verrassen, Calypso. Soms als ik je heb gezien of gesproken, moet ik gewoon een kast in duiken om me ongestoord te bescheuren. Ik lach me dood om jou.'

'Gossie!' zei ik weer. Ik kan me niet precies herinneren wat hij verder allemaal nog zei, maar ik ben natuurlijk ook niet zo gek om te denken dat hij het echt meende. Ik wist dat hij alleen maar het juiste dramatische effect probeerde te bereiken. Hij was tenslotte regisseur en het hoorde bij zijn rol om te flirten. Dus in antwoord op zijn speech beloonde ik hem met een van mijn eigen flirtastische speeches.

'O, Malcolm, ik was stapelgek op jou vanaf het moment dat je je hoofd uit het raam stak,' zei ik, terwijl ik een plukje haar tussen mijn vingers ronddraaide. 'En ik vond het waanzinnig attent van je toen je zei dat ik mijn natte kleren op jouw radiator mocht drogen. Ik was trouwens diep onder de indruk dat jouw radiator warm was; die van ons staan er alleen maar om je het idee te geven dat het warm is. O ja, en toen je naar het Clap-huis kwam, was ik echt super onder de indruk van de manier waarop je die Gandalfs op de Landor Road aanpakte. Hoe heette dat ook weer? Een Glasgow...?'

'*Kiss*,' zei hij. Waarschijnlijk verbeeldde ik het me, maar hij leek op dat moment zo dichtbij dat ik dacht dat ik zijn adem op mijn lippen kon voelen.

'Precies, kiss,' beaamde ik. 'Een Glasgow-kiss.' En toen deed ik om onbegrijpelijke reden iets echt Honey-achtigs. Ik knipperde met mijn ogen en ik raakte met mijn vinger een knoop van zijn overhemd aan. Ik denk dat ieder meisje moet blozen als ze tegen een oudere, knappe jongen herhaaldelijk het woord 'kus' zegt.

Ik was zo draaierig van mijn nepflirtpartij dat ik niet merkte dat Kev en Freds eraan kwamen.

Als goede plannen verkeerd uitpakken

Freds stond al naast mijn schouder toen ik eindelijk zijn aanwezigheid opmerkte. Ik draaide me om en daar stond hij. God, hij zag er toch zóóó leuk uit. Zóóó waanzinnig knap, en hij stond zo dichtbij dat ik zijn lekkere citroengeurtje kon ruiken. Ik smolt nog net niet weg.

'Wat is er allemaal aan de hand, McHamish?' vroeg Freds opgewekt. Hij gebaarde naar de mensenmenigte om ons heen, zonder mij zelfs maar aan te kijken.

Hij lachte er zelfs bij. Hij was er zo te zien totaal niet van onder de indruk om me te zien – zelfs niet in mijn prachtige outfit! Dus keek ik hem heel diep in de ogen. Dat dwong hem in ieder geval om me op te merken, maar hij zei alleen maar: 'Hoe gaat het ermee, Calypso?'

Ik denk dat 'overdonderd' het juiste woord is – of is het 'bedonderd'? Hoe dan ook, ik was totaal bedonderd, dus flapte ik eruit: 'Heel goed, dankjewel,' op het meest nietszeggende toontje dat je je kunt voorstellen. Ik boorde nog steeds mijn ogen diep in de zijne, maar toen keek hij over mijn schouder heen – wat een hele prestatie is als je bedenkt hoe lang ik ben – en sprak hij Malcolm aan. Het was alsof ik niet bestond. 'Weer met een film bezig, McHamish?' vroeg hij.

O, dit was het toppunt. Na al het werk dat mijn vriendinnen en ik hadden gestoken mijn outfit. Na al mijn zorgvuldige po-

gingen om geen make-up op te doen, na Stars perfect uitgewerkte plannen om de Tegendump uit te voeren, om maar niet te
spreken van de succesvolle wijze waarop ze deze goden, ik bedoel deze jongens, bij elkaar had weten te krijgen, ging het dus
zo aflopen. Freds moest beseffen wat een idioot hij was geweest
om mij te dumpen, hij moest zich op zijn knieën laten vallen en
mij smeken hem terug te nemen, zodat ik hem kon dumpen.

In plaats daarvan was hij kennelijk meer geïnteresseerd in de
bezigheden van een stel jongens die hij iedere dag van de week
kon zien. Ik keek naar de mensen om me heen. Zag hij dan niet
dat die hier allemaal waren voor *moi*? Voor mijn eer, om precies
te zijn? Maar nee, daar stond Freds, stekeblind voor alle organi-
satie die was gestoken in het creëren van de perfecte omstandigheden voor een Tegendump.

Het was een complete mislukking, een ramp, een Waterloo.
Na al onze zorgvuldig bedachte strategieën zouden Freds en
Malcolm alleen een gezellig praatje houden over de filmclub en
mijn eer zou worden vergeten. Wat een afgang.

Maar toen gaf Malcolm me een zoen. Geen luchtzoen of een
klein kusje op mijn wang, zoals je van je oude tante krijgt als ze
een paar sherry's te veel opheeft. Nee, een echte tongzoen. Een
volwassen, duizeligmakende tongzoen, waar je knieën van gaan
trillen.

Ooo-la-la en *va-va-voum*! Malcolm wist wat zoenen was. Dat
wist hij héél erg goed. Als hij grof geld wilde verdienen, kon hij
altijd nog een kermistent beginnen waar meisjes zich door hem
konden laten zoenen. Hoewel ik niet denk dat ouders hun zoons
naar de chicste kostschool van Engeland sturen om later een kermistent te beginnen.

Het was zo'n verrukkelijke zoen dat zelfs mijn hersenen niet
meer werkten. Ik kon alleen nog maar voelen en ruiken en Malcolm voelde en rook heerlijk. Niet zoals Freds, die altijd naar ci-

troen rook. Nee, Malcolm rook naar jongen, maar dan op een heel lekkere manier. Als je Malcolms luchtje in een flesje zou kunnen stoppen, zou je miljoenen kunnen verdienen, eerlijk waar.

Ik had een zeer verontrustend, beverig gevoel in mijn buik en mijn kleine grijze cellen waren ieder gevoel van oriëntatie kwijt. Ik tilde zelfs mijn linkervoet van de grond, zonder dat mijn hersenen daar opdracht voor hadden gegeven.

En toen liet hij me een beetje achteroverzakken in zijn armen.

Ja, ik zweer het je, dat deed hij! Het enige wat ik dacht was: *ooo-la-la*, dit is net als in de film. En toen wist ik het weer. Dit wás een film – nou ja, zoiets in ieder geval. Malcolm speelde de rol van de galante, onbaatzuchtige held, die het idiote ex-vriendje jaloers maakt.

Malcolm trok me weer omhoog en ik deed mijn ogen open. Ik had niet eens gemerkt dat ik ze had dichtgedaan. Ik wist wel dat jongens het fijn vinden als je je ogen dichtdoet als ze je zoenen, maar… Nou ja, ik kon meestal de verleiding niet weerstaan om naar hun kleine, verfrommelde gezichtjes te kijken. Volgens Star is dat een van de weinige momenten in het leven dat je een jongen kwetsbaar ziet.

Hoe dan ook, ik kwam bij uit mijn ooo-la-la-moment en keek Malcolm aan. En toen zag ik voor het eerst hoe groen zijn ogen waren. Ik wist natuurlijk al dat hij groene ogen had. Veel mensen met rood haar en een ivoorwitte huid hebben groene ogen. Maar Malcolms ogen waren zo groen als het gras na een regenbui, je weet wel, wanneer alle positieve (of juist negatieve?) ionen als een gek in het rond schieten.

Toen keek ik als een knipperend konijn om me heen en zag ik dat iedereen naar ons stond te staren. Iedereen, behalve Freds. Hij stond niet meer achter me. Echt iets voor hem, dacht ik. Ik lig pal voor zijn verwaande neus in de armen van een hartstikke

knappe, oudere jongen, en hij loopt verveeld weg. We kond
ons niet veroorloven om de boze prins in deze cruciale fase van
de Tegendump uit het oog te verliezen. Dus vroeg ik aan de menigte in het algemeen: 'Waar is Freds naartoe?'

Malcolm stond mij nog steeds aan te kijken. Hij pakte mijn kin
en kuste me zachtjes op de lippen.

'Waar is wie naartoe?' vroeg hij.

'Freds!' herhaalde ik. 'Hij is ervandoor.'

Malcolm keek om zich heen alsof hij ontwaakte uit een
droom, maar op dat moment had ik Freds al ontdekt. Hij was
maar een paar meter bij ons vandaan, maar er stonden een heleboel jongens en meisjes tussen ons in, die allemaal als gekken
met elkaar stonden te flirten, dus hij raakte een beetje uit beeld.
Maar toen ik een glimp opving van zijn gezicht, kreeg ik eerder
de indruk dat hij overstuur was dan dat hij zich verveelde. Ook
wankelde hij zo'n beetje naar de rand van de brug.

Even kwam het in me op dat hij onze zoen toch had gezien en
inderdaad jaloers en van streek was! En dat bracht me nog meer
in verwarring.

Malcolm zag er heel indrukwekkend, sterk en superheldhaftig
uit toen hij in Freds' richting begon te lopen, vooral toen hij een
paar filmjongens opzijschoof. Ik volgde in zijn kielzog.

Malcolm schreeuwde: 'Hij is toch niet van de brug gevallen,
hè?'

Het volgende ogenblik zag ik mijn prins verdwijnen.

En daarna hoorden we hem allemaal met een reusachtige
plons in de Theems vallen.

De verdronken dromen van een egoïstische tiener

Malcolm brulde in zijn megafoon: 'Jongen te water!', waarop onmiddellijk paniek uitbrak, omdat alle bodyguards als gekken door elkaar heen begonnen te lopen. Het was net een uit de hand gelopen kegelspel, ze botsten voortdurend tegen elkaar. Omdat de Britse troonopvolger een ernstig ongeluk was overkomen, begon niemand te lachen toen ze met hun enorme, lompe voeten zo snel mogelijk de kleine, hobbelige traptreetjes probeerden af te rennen. Maar het had wel iets van een lachfilm.

Tegen de tijd dat ze één trap waren afgedaald, was Freds al naar de andere kant van de brug gespoeld, zodat ze weer terug moesten om hun chaotische reddingsoperatie daar voort te zetten.

Niet alleen Freddies bodyguards bemoeiden zich ermee. Alle andere oortjes vielen ook over elkaar heen in hun ijver de verdrinkende prins te redden. Ik zweer je dat je ze kon hóren denken: o, lieve god, laat ik degene zijn die Zijne Majesteit redt, laat ík het alstublieft zijn!

Ik zeg verdrinkende prins omdat ik nou eenmaal graag overdrijf, maar de Theems zal inderdaad wel ijskoud zijn geweest. De zwanen zagen er behoorlijk kleumerig uit en terwijl ik op de kant stond, waren mijn benen blauw van de kou. Ik weet dat er mensen zijn die het Kanaal over zwemmen, maar dan smeren ze zich volgens mij van tevoren in met ganzenvet. Ik was er vrij zeker van dat Freds dat soort voorzorgsmaatregelen niet had getroffen.

De hele Eades Film Society en al mijn vriendinnen hingen over de brugleuning en schreeuwden: 'Freddie! Gaat het?'

Ik weet het niet, hoor, maar als je in januari ergens in de Theems ronddrijft, gaat het meestal niet zo goed met je.

Toch ging ik er ook bij staan en rende ik mee van de ene naar de andere brugleuning terwijl Zijne Hoogheid hulpeloos stroomafwaarts spoelde. Toeristen namen foto's van hem. Het was allemaal *très*, *très* smakeloos, echt ziek. Soms maak ik me werkelijk zorgen over het morele besef van mijn medemens.

Uiteindelijk wist ik me naar voren te werken en toen ik Freds in het oog kreeg, schreeuwde ik iets nutteloos naar beneden, in de trant van: 'Hou vol!'

Maar ik denk niet dat hij me hoorde. Hij had al zijn aandacht nodig om bij een temperatuur van min één tegen de stroom in te zwemmen.

Er stond een vrouw op de brug iets te roepen naar een troep (of is het een zwerm?) zwanen. Ze is eigenlijk een beetje de dorpsgek van Windsor. Volkomen gaga. Ze had een grote, groezelige regenjas aan en een ijsmuts met oorkleppen op haar hoofd en ze stond zoals altijd enorme stukken brood naar de zwanen te gooien.

Dus terwijl de Britse troonopvolger lag te verdrinken en de bodyguards doelloos door elkaar renden, bleef dat gekke oude mens hompen brood naar haar zwanen smijten, net zo lang tot er een groot stuk op die arme Freds zijn hoofd belandde.

Binnen een seconde werd hij belaagd door honderden uitzinnige zwanen. Het was een afschuwelijk gezicht! Ik ben normaal gesproken dol op zwanen. Ik heb heel wat keren staan genieten als ik de zwanen van Windsor vredig de Theems af zag glijden.

Maar er was niets vredigs aan de manier waarop ze zich nu op Freds stortten. Serieus, ze zwommen over hem heen en hun vleugels en snavels haalden naar alle kanten uit in een koortsachtige poging de homp brood te pakken te krijgen die blijkbaar was vastgeraakt onder zijn kraag.

Hij was volkomen hulpeloos en kon onmogelijk ontsnappen aan de bende klapwiekende, blazende zwanen, die hun prins steeds verder onder water duwden. Het ironische van de situatie zal hem zelf ook beslist niet zijn ontgaan. Wat een toestand: de toekomstige koning die werd aangevallen door zijn eigen vogels, die door niemand anders mochten worden aangeraakt of opgegeten dan door een of ander maf college in Oxford of zoiets.

'Laat hem met rust!' schreeuwde ik tegen de zwanen.

Maar luisterden ze? Nee. Achterlijke vogels. En dat krankzinnige oude mens jutte ze nog op ook. 'Pak 'm maar, m'n schatjes! Pak 'm maar! Wat een smeerlap om U Edeles brood te willen pikken. Pak 'm maar!'

U Edeles brood? Wie praat er nou zo?

De hele situatie was gewoon verschrikkelijk. Stel dat de roddelbladen een foto in handen kregen van de zwanen die de prins probeerden te verdrinken? Dan zou iedereen mij daarvoor verantwoordelijk stellen. En daar zouden ze gelijk in hebben. Als ik niet had ingestemd met die stomme Tegendump, had Malcolm me niet gezoend en was Freds niet in de Theems gevallen en door zwanen doodgeklapwiekt.

Ik zou de dood van de prins op mijn geweten hebben.

Het zou me niet verbazen als ik hierna voorgoed uit Engeland zou worden verbannen. Arme Bob en Sarah! Die dachten dat hun geliefde dochter diep gelukkig rondzweefde op een roze wolk van koninklijke liefde, terwijl ik in werkelijkheid een afschuwelijke prinsenmoordenaar was.

Toen zag ik iets oranjes voorbijflitsen. Het was Siddharta, die de Theems in dook. Het was een prachtig gezicht. Serieus, hij leek wel een of andere schitterende, in het oranje gehulde olympische zwemmer. Bovendien slaagde hij waar de oortjes met hun stoere, arrogante houding jammerlijk hadden gefaald. Hij bereikte Freddie en joeg moedig de zwanen weg met zijn gebedsmolen. Hij sloeg niet en deed er ook geen andere onvredelievende dingen mee, maar hij draaide het ding alleen maar in het rond, zodat het lawaai maakte.

Hoe dan ook, terwijl hij de Britse troonopvolger met een van zijn vinachtige armen vasthield, zwom hij met krachtige slagen naar de oever, waar de andere bodyguards al klaarstonden om met de eer te gaan strijken. Inderdaad, ze gooiden allemaal hun jasjes over Freds heen en voerden hem af naar een lange rij wachtende ambulances, alsof zij de helden van de dag waren. De roddelpers kwam massaal toesnellen, maar ik maakte me te veel zorgen om Freds om ze vuil aan te kijken. Ik probeerde me door de menigte heen te werken om bij de ambulance te komen, maar ik was te laat. Malcolm legde zijn jasje om Siddharta heen en voerde hem af.

Ik bleef nutteloos en beschaamd alleen achter. 'Gaat het een beetje, schat?' vroeg Honey. 'Goddank had mijn bediende de tegenwoordigheid van geest om Freds te redden, anders was hij nu misschien dood geweest en was jij de bak in gedraaid voor doodslag. Je zult hem wel verschrikkelijk dankbaar zijn. En wat zul je je schuldig voelen!'

Hoe koud ik het ook had, ik was inderdaad dankbaar, en ik voelde me ook schuldig. Honey had gelijk. Het was mijn schuld.

'Schat, stel je voor dat jij zou zitten wegkwijnen in die koude Old Chokey. Ik moet er niet aan denken. Ik zou je uiteraard af en toe een voedselpakket sturen, maar gezien mijn positie zou onze vriendschap natuurlijk niet kunnen standhouden. Een meisje met mijn achtergrond mag niet met een crimineel worden geassocieerd.'

'Nee, natuurlijk niet,' zei ik, zonder dat ik haar echt had gehoord. Dit was niet het moment om naar gekkenpraat te luisteren.

Star sloeg haar armen om me heen en gaf Honey een por. 'Smeer 'm, Honey, voor ik jóú de brug af duw,' waarschuwde ze. 'Calypso heeft Freddie niet het water in geduwd; hij is gevallen.'

Honey probeerde haar wenkbrauwen op te trekken, maar de botox had haar voorhoofd lamgelegd, waardoor het er net uitzag alsof haar ogen uit hun kassen kwamen rollen. 'Oké, hoor. Ik probeerde alleen maar aardig te zijn.'

'Maar Siddharta was inderdaad geweldig,' gaf Star toe. 'Malcolm heeft hem naar het Eades gebracht voor een warme douche en schone kleren.'

Honey sprong onmiddellijk uit haar vel. 'Dat is hartstikke verboden. Een bodyguard mag nooit ofte nimmer zijn opdrachtgever alleen laten. Malcolm had eerst aan mij moeten vragen of hij mijn bediende mocht meenemen.'

'Ze hebben die arme vent net uit een ijskoude rivier gesleurd, Honey,' merkte Star op. 'Wees liever dankbaar dat iemand de tegenwoordigheid van geest heeft om de held van de dag zo goed te verzorgen.'

Ik zag wel dat Honey alles liever wilde dan Star gelijk geven, maar na een korte innerlijke strijd antwoordde ze: 'Natuurlijk, ik denk dat ik het gezien de omstandigheden wel door de vingers kan zien. Maar het is wel te hopen dat hij hem oranje kleren aantrekt. Ik wil niet dat mensen hem aanzien voor een doodgewone bodyguard.' Toen vervolgde ze: 'Het is een erg enerverende dag voor me geweest. Zeg maar tegen Siddharta dat hij me bij de kroeg kan komen ophalen. Ik neem even een wodka-tonic om te relaxen. Ik zie jullie straks wel in het gesticht.' En ze beende weg.

Star sloeg weer een arm om me heen. 'Dat was trouwens een fantastische zoen van Malcolm en jou, schat!'

Ik wist dat ze me wilde opvrolijken en mijn gedachten van Freds probeerde af te leiden, maar ik voelde me er alleen nog maar ellendiger door. En verwarder, want het was inderdaad een fantastische zoen geweest, ook al was hij dan maar gespeeld.

Een ernstige aanval van mea culpaïtis

ij onze terugkomst stonden er geen meisjes langs de oprit van het Sint-Augustinus om ons te verwelkomen. Geen triomfantelijk rondspringende nonnen met spandoeken. Geen juichende huisloeders. Zelfs geen Misty (de incontinente spaniël van Miss Cribbe) om ter begroeting zijn poot op te tillen. Nee, de oprit was zo verlaten als een woestijn. Slecht nieuws verspreidt zich snel in de koninklijke graafschap Berkshire, dat kan ik je wel vertellen.

Operatie Tegendump was op een spectaculaire mislukking uitgelopen en het Sint-Augustinus is er altijd als de kippen bij om spectaculaire mislukkingen in de doofpot te stoppen. In plaats van me vol hoop en medeleven aan te kijken, wierp nu iederéén me teleurgestelde blikken toe.

Maar hoe anderen ook over me dachten, mijn grootste zorg was Freds. Ik moest weten of het goed met hem ging. Ik moest met hem praten, alles uitleggen. Maar het Eades had de gelederen gesloten, net als een rugbyscrum, of Fort Knox, of is het de CIA? Hoe dan ook, ze lieten niets los over de prins. Let op mijn woordkeus: ik heb het over 'de' prins, niet 'mijn' prins. Hij was mijn prins niet meer en hoewel hij een gemene meisjesdumper was, gaf ik nog steeds om hem. Je kunt niet zomaar je gevoelens voor iemand uitschakelen omdat hij je per sms heeft gedumpt.

Ik gebruikte het eerste deel van de avond om er via telefoon/sms/e-mail achter te komen of het goed met hem ging. Toen wees Star me erop dat zijn telefoon het waarschijnlijk niet meer deed, omdat hij nat was geworden. Als ik een postduif had gehad, had ik die eropaf gestuurd. Ik overwoog zelfs even om het met Dorothy te proberen. Ik bedoel, zelfs het kilste hart zou toch smelten bij het zien van de kleine Dorothy die met een opgerold briefje aan haar halsbandje komt aanhippen? Helaas heeft Dorothy het richtingsgevoel (en de intelligentie) van een krop sla. Zelfs onder haar medekonijnen staat ze bekend als het toppunt van onnozelheid.

Na al mijn verwoede pogingen om met Freds in contact te komen, voelde ik me plotseling uitgeput en wierp ik me op mijn bed, net als Ophelia op dat schilderij van Millais. Oké, Ophelia wierp zich in het riet, maar waar moest ik op deze tijd van de avond riet vandaan halen? Ik kon het zelfs niet opbrengen om naar de eetzaal te gaan om de smerige grijze prut naar binnen te werken, ook al betekende dat dat ik zou worden genoteerd als potentiële anorexiapatiënt. Niets deed er meer toe. Ik was in de greep van een hevige aanval van lusteloosheid.

Star probeerde me uit mijn lusteloze stemming (ook wel 'kussen' genaamd) weg te sleuren, maar ik weerde haar af.

'Kom nou, schat, je moet eten,' smeekte ze, terwijl ze aan mijn slappe lichaam sjorde. 'Morgen vlieg je naar Florence en daar heb je je energie hard nodig om de Italianen in de pan te hakken.'

'Neem maar wat voor me mee in je zak,' antwoordde ik, terwijl ik tevergeefs probeerde mijn kussen zacht te stompen. Sinds het zevende jaar heb ik van Sarah geen nieuw kussen meer gekregen, met als gevolg dat het nu zo hard en dun is als een stuk karton. 'Ik wil trouwens helemaal niet naar Florence.'

'Doe niet zo gek, als je in Italië bent, ben je alles zo vergeten. En ik kan geen prut en karbonaden in mijn zak meenemen.

Trouwens, ik heb zo'n honger dat ik waarschijnlijk alles opeet wat ik in mijn vingers krijg.'

'O, nou, als jij kunt eten terwijl je een halfverdronken jongen op je geweten hebt, moet je dat vooral doen,' antwoordde ik.

'Schat, ik weet zeker dat het prima met hem gaat. En als je je echt zorgen maakt, bel dan naar Malcolm. Dan kan die voor je uitzoeken wat er aan de hand is.'

'Malcolm bellen?' gilde ik, terwijl ik met een ruk overeind schoot uit mijn kussen. 'Ben je gek geworden? Ik kan Malcolm niet bellen na die vertoning met die zoen. Snap je dan niet, dom vriendinnetje van me, dat ik de reden ben waarom Freds in de Theems is gevallen en bijna is verdronken?'

'Nee, dat is niet zo. Het was een losse steen, meer niet. Had iedereen kunnen gebeuren.'

'Een losse steen?' herhaalde ik. Ik dacht eraan hoe voorzichtig je altijd moet zijn bij de brug, vooral aan de kant van Windsor Castle. Er is een groot gat in de reling waar de mensen altijd hun fiets aan vastmaken en er vallen vaak stenen in de Theems.

'Ja, een losse steen. Ik zei toch dat het jouw schuld niet was? Dus hou op met dat sombere gedoe en kom eten.'

Ik was totaal in de war. Ik bedoel, ik vond het natuurlijk niet fijn om me schuldig te voelen, maar dat schuldgevoel gaf me in ieder geval het idee dat ik in het drama een centrale plaats innam. 'Dus hij wás helemaal niet verblind door jaloezie?'

Star haalde haar schouders op.

Ik zuchtte. 'Nou ja, steen of geen steen, hij is toch in de Theems gevallen omdat wij zo nodig mijn eer moesten redden. Geef toe, het hele Tegendumpplan is van het begin tot het eind waanzin geweest.'

Star siste spottend.

'Het is gewoon zo. Ik bedoel, Freds is zo ongeveer in Windsor Castle opgegroeid en hij is nog nooit eerder in de Theems gevallen, of wel soms?' Met die woorden duwde ik mijn hoofd weer in mijn kartonnen kussen en nam ik de aangrijpendste *mea culpa*-houding aan die je je maar kunt voorstellen. Hoewel ik niet wist hoelang ik dit kon volhouden. Het is niet gemakkelijk om door karton te ademen.

'Nou, ik vind het vervelend om het te moeten zeggen, maar ik héb aan het begin van het schooljaar tegen je gezegd dat je Freds moest dumpen. Als je toen naar me had geluisterd, was dit allemaal niet gebeurd.' Voor ik iets kon terugzeggen, liep Star met grote stappen mijn kamer uit. Maar toen kwam ze terug en ze vroeg: 'Maar hoe was het nou? Zoenen met Malcolm, bedoel ik.'

Ik gooide een paars kussen naar haar toe.

Ik ging Malcolm mooi niet bellen. Ik was niet van plan ooit nog aan hem te denken of met hem te praten. Ik was zelfs niet van plan hem ooit nog aan te kijken. Als ik hem in de straten van Windsor tegenkwam, zou ik mijn ogen afwenden en doen of ik met iets anders bezig was.

Helaas weigerde mijn onderbewuste mee te werken. Zodra Star naar de eetzaal was vertrokken om mee te eten van de grijze prut, viel ik in slaap en droomde ik dat ik Malcolm kuste. Het was *très, très, très* verontrustend, vooral toen ik wakker werd en ontdekte dat hij me twee keer had gebeld. Maar hij had geen boodschap ingesproken. Echt weer een jongen.

Toen de anderen terugkwamen van het eten, waren ze hartstikke lief voor me. Indie, Clems, Arabella, Portia, Star en zelfs Honey hadden allemaal iets voor me meegesmokkeld. Helaas zaten er allemaal haartjes aan uit hun zak, dus het zag er niet zo smakelijk uit, maar ik was dankbaar voor het gebaar.

Iedereen probeerde me de *mea culpaïtis* uit mijn hoofd te praten, behalve Honey, die steeds haar hoofd schudde en dingen zei zoals: 'Wat zul je je vreselijk verantwoordelijk voelen, schat.'

141

Maar iedereen negeerde haar.

Portia herinnerde me eraan dat we de volgende dag naar Italië zouden vliegen voor onze eerste wedstrijd met het nationale team. Arme, naïeve meid. Ze dacht waarschijnlijk dat een reisje naar Italië voldoende zou zijn om me op te vrolijken.

'Ik kan er niet heen,' zei ik verdrietig.

'Schat, ik weet dat je je schuldig voelt over hoe het vandaag is gelopen, maar nu moet je dat uit je hoofd zetten. Los van alles heb je je verplichtingen tegenover het team.'

Ik tilde mijn hoofd een paar millimeter uit mijn kussen en haalde een beetje adem. Toen zei ik: 'Ik zie echt niet in wat ik voor nut kan hebben voor het team als ik verlamd ben van schaamte en ellende.' Toen duwde ik mijn hoofd weer in mijn kussen om mijn standpunt te onderstrepen.

Georgina hield Tobias met zijn gezichtje bij me en wreef met zijn neus over mijn wang. 'Schat, verman je. Je weet dat Tobias zo'n moedeloze houding niet kan verdragen. Bovendien, als je met een beker thuiskomt, is iedereen de mislukte Tegendump zo vergeten.'

'En Lullo doorboort je met zijn sabel als je zo doorgaat,' zei Portia. 'Bovendien moet je aan de rest van het team denken, om maar niet te spreken van je vijandin, Jenny Frogmorten. Wat zal die roddelaarster wel niet zeggen? Ik wed dat ze zal zeggen dat je ertussenuit knijpt omdat je niet durft. Dat je bang bent voor je verlies. Die voldoening mag je haar niet geven. Kom, schat, laten we onze spullen gaan pakken.'

De gedachte aan Jenny prikkelde me tot onmiddellijke actie. Portia had gelijk. *Mea culpa* of niet, ik liet me door Jenny Frogmorten niet voor een lafaard uitmaken.

Nadat we alles hadden ingepakt, pakten we alles weer uit.

En dat deden we nog een paar keer, omdat de Regels bepaalden dat we voor onze drie overnachtingen in het Stijlparadijs

Italië maar één stuks handbagage mochten meenemen. O, wat een gezeik toch weer.

'Hoe kunnen ze nou denken dat we een föhn, een krultang, een make-uptas en een perfecte, volledig uitgekiende garderobe in één stuks handbagage kunnen proppen? Dat gaat tegen alle natuurwetten in!' zei ik.

Portia was net zo zenuwachtig en gefrustreerd als ik. We waren de hele nacht bezig om spullen uit onze tas te halen en er weer in terug te stoppen. Nu wist ik hoe Sisyphus zich moet hebben gevoeld, toen hij dag en nacht bezig was om zijn vervloekte steen de heuvel op te rollen.

Maar het leidde mijn gedachten in ieder geval af van mijn schaamte... en van mijn kus met Malcolm. Ik controleerde nog één keer mijn mobieltje en gaf het toen aan Indie. Ik kan je wel vertellen dat het een ramp was om van mijn mobieltje te moeten scheiden. Maar omdat ik een beperkt abonnement had, zou ik er in Italië toch niet mee kunnen bellen.

Sic transit gloria mundi

Volgens de geruchten werd er in het klooster bitter gestreden om de eer als onze chaperonnes op te treden. Zuster Regina en zuster Bethlehem kwamen als winnaars uit de strijd. De wrok onder de andere nonnen was voelbaar toen we de volgende ochtend op de deur klopten. Ik verdacht zuster Regina ervan dat ze had geknoeid met de Heilige Maria-competitie, of wat voor andere maffe nonnenmethode ze ook maar hadden gebruikt om de stemming te beslissen.

Maar Joost mag weten hoe zuster Bethlehem haar reisje naar Italië in de wacht had gesleept. Ik bedoel, ik wil niets oneerbiedigs zeggen over oude nonnen of zo, maar ze is over de honderd en ze glijdt al slapend snel haar vredige einde tegemoet. Ik durf er alles om te verwedden dat ze de afgelopen tien jaar nooit meer dan een uur achter elkaar wakker is geweest.

Lullo moest haar naar de auto dragen.

En hij liet haar vallen.

Maar zelfs daar werd ze niet wakker van.

De andere chaperonne was dus zuster Regina, die ons tijdens de nationale kampioenschappen zo vurig had aangemoedigd. Ik was blij toen ik haar kleine gestalte trots op haar kussen naast Lullo in de auto zag zitten. Ze drukte opgewonden op de claxon, zodat zuster Bethlehem wakker schrok. Die mompelde verward een tientje van de rozenkrans en viel meteen weer als een blok in slaap. Hoe deze twee nonnetjes ons moesten beschermen tegen kontenknijpende Italianen was iedereen een raadsel.

Onderweg naar Gatwick dacht ik onwillekeurig terug aan onze reisjes van vorig jaar, toen Sarah ons had vergezeld. Nu kon ik hooguit op het laatste moment een telefoontje verwachten. Ik vermoed dat ze het tegenwoordig te druk had met klef doen met Bob om zich te bekommeren om mijn schermwedstrijden. Bij nader inzien was het ook eigenlijk maar beter dat ze niet naar Italië kwamen. Die twee hoefden het vuur van hun romance echt niet extra aan te wakkeren in Florence, een van de meest romantische steden ter wereld.

Het was de bedoeling dat Portia, Lullo, de nonnen en ik de rest van het nationale team drie uur voor vertrektijd zouden ontmoeten op Gatwick. Ja, je hoort het goed: drie uur voor vertrektijd!

'Waarom zo vroeg?' vroeg ik, want om eerlijk te zijn had ik de extra slaap goed kunnen gebruiken. Clems' snurken was er niet beter op geworden, ondanks de elegante neusclip die Indie en ik met plakband en haarclipjes voor haar in elkaar hadden geflanst.

'Om oponthoud te voorkomen, Kelly. Gebruik je verstand, meid,' schreeuwde Lullo over zijn schouder. Serieus, hij was zo opgefokt dat ik de aderen in zijn nek kon zien kloppen. Vorig jaar bij de nationale kampioenschappen was hij ook al zo gestrest. Ik vroeg me met angst en beven af hoe hij zou zijn bij ons eerste internationale toernooi.

Op het vliegveld wemelde het van de schreeuwende mensen en huilende kinderen, en een afschuwelijke kerel op slippers – ja, echt, slippers – zei tegen onze kleine zuster Regina dat ze moest 'oplazeren' toen ze hem de weg vroeg naar de incheckbalie.

Zuster Regina was zo aardig. Ze zei alleen maar: 'God zegene je, mijn zoon.'

Ik had veel zin om hem om zijn oren te meppen met een van

die lullige slippers van hem, maar zuster Bethlehem ging keihard op zijn tenen staan met haar houten klompen. Voor een vrouw die vorig jaar honderd is geworden, heeft ze nog aardig wat vechtlust in zich – als ze niet slaapt tenminste.

Lullo was tijdens onze ontmoeting met de slipperkerel naar de wc, maar toen ik hem over het voorval vertelde, werd hij woedend. 'Als ik erbij was geweest, had ik die schoft aan mijn sabel geregen.' Toen keek hij mij aan alsof ik een soortgelijke straf had moeten uitdelen. 'Nou, zusters, ik zal jullie niet meer alleen laten. Als dat soort schorem over de aardkorst rondkruipt, moeten fatsoenlijke mannen op hun hoede zijn.'

Portia en ik waren blij toen we Billy zagen. Nadat we de verplichte luchtzoenen hadden uitgewisseld, ontsnapte het niet aan mijn aandacht dat Billy en Portia elkaar een verlangende blik toewierpen. Zelfs in deze kale, chaotische vliegtuighal zocht de liefde haar weg.

'Hoe is het met Freds?' vroeg ik aan Billy, toen hun verlangende blik *très* gênant begon te worden.

'Niet zo best,' zei hij, terwijl hij zijn diepblauwe ogen op mij richtte. 'Hij schijnt vannacht op de ziekenzaal te hebben geslapen.'

'Ik voel me zo schuldig,' zei ik, in de hoop dat hij iets geruststellends zou terugzeggen, zoals: 'Maak jezelf geen verwijten, Calypso. Jongens als Freds vallen zo vaak in de Theems.' Maar hij knikte alleen maar en begon toen weer vol verlangen naar Portia te staren.

Kort daarna ontdekten we Jenny en een paar andere leden van het nationale team, die zich schuilhielden bij een boekwinkel. Jenny wierp me een dodelijke blik toe. Na de gebeurtenissen bij de nationale kampioenschappen had ik me erbij neergelegd dat zij mijn antivriendin was. Maar ik was niet bang voor haar. Vooral omdat ik betwijfelde of ze ooit zo erg kon zijn als Honey.

Ik wil niet opscheppen, maar na jaren ervaring met meiden op het Sint-Augustinus was mijn dodelijke blik dodelijker dan die van mijn ergste vijanden.

Lullo stortte zich op een lange, keurig geklede heer met een sjaaltje om zijn nek. Die keek alsof hij zijn eigen achterwerk had ingeslikt toen hij onze maffe schermmeester in de gaten kreeg.

'Ah, Commodore!' brulde Lullo, terwijl hij de man krachtig de hand schudde. 'Hoe maak je het, kerel?' Toen gaf hij de arme vent een harde klap op zijn kont. Ik denk dat hij op zijn rug had gemikt, maar dat hij missloeg. De Commodore was erg lang vergeleken bij Lullo.

Maar Lullo lachte alsof er niks aan de hand was.

'Meisjes, dit is de Commodore, het hoofd van het nationale team van Groot-Brittannië. Hij en ik hebben ooit samen gestreden. *Mano a mano* en zo.' Hij maakte een lichte buiging en toen – ik lieg het niet – sloeg hij met een klakkend geluid zijn hakken tegen elkaar. Het was allemaal heel erg triest. Ik weet dat het trouweloos is, maar soms zou ik willen dat Lullo wat meer stijl had, zoals onze vorige schermmeester, professor Sullivan.

De Commodore leek niet erg blij om zijn oude strijdmakker terug te zien. 'Ja, ach, dat is allemaal al erg lang geleden.'

Lullo knipoogde naar Portia en mij. Het was *très, très* gênant. 'Ik heb de Commodore regelmatig een flinke nederlaag bezorgd, eh?'

Als ik de onwaarschijnlijk lange gestalte van de Commodore vergeleek met het korte, gedrongen figuur van onze schermmeester, had ik daar op de een of andere manier mijn bedenkingen bij.

Ik denk dat Lullo de collectieve twijfel om hem heen aanvoelde, want hij vervolgde: 'Hoe groter het doelwit, hoe meer je kunt raken, zie je.' Toen begon hij om de Commodore heen te springen en hem met zijn vinger als een denkbeeldige sabel tussen zijn ribben te porren.

Het was te gênant voor woorden.

'Ik ben ervan overtuigd dat u zich op bewonderenswaardige wijze hebt onderscheiden, Mr. Mullow,' zei zuster Regina, terwijl ze haar kleine armpjes keurig in de mouwen van haar habijt over elkaar vouwde.

Ik zag aan alles dat zuster Regina niet van de Commodore onder de indruk was. Het jarenlange verblijf in het klooster had bij haar een diep wantrouwen tegen mannen gekweekt. Met Lullo was het iets anders – los van alles was hij altijd erg vriendelijk en galant tegen haar. Maar deze kerel met zijn sjaaltje om zijn nek was in haar ogen duidelijk een arrogante kwal van de ergste soort.

Ik was geneigd het met haar eens te zijn, ook al omdat zijn broekspijpen nauwelijks tot zijn enkels reikten. En dan heb ik het nog niet over dat sjaaltje. Toch maakte ik een klein buiginkje in zijn richting, waar Portia verschrikkelijk om moest lachen. Intussen was zuster Bethlehem op mijn handbagage in slaap gevallen. We besloten haar daar maar te laten zitten tot de rest van het team arriveerde.

Portia en ik gingen op Portia's handbagage zitten en oefenden het *élan*, de *panache*, de *vitesse*, de *finesse* en de *va-va-voum* die we nodig zouden hebben om ons in het mondaine Italië staande te houden. Nu ik er goed over nadenk waren dit allemaal Franse kwaliteiten, maar ik ben ervan overtuigd dat de Italianen over precies dezelfde kwaliteiten beschikken, en meer. Iedereen weet dat de Italianen toonaangevend zijn op het gebied van *amore* en *la dolce vita*, wat volgens mij zoiets betekent als een mooi leven of lekkere koekjes – een van de twee. Ook heeft Italië ons Michelangelo's *David* geschonken, de mooiste man die ooit is uitgehakt. Ik geloof trouwens dat Zijne Marmeren Hoogheid ergens in Florence staat.

'We moeten *David* gaan bekijken als we in Florence zijn,' zei ik tegen Portia, terwijl ze als een toonbeeld van aantrekkelijkheid op haar handbagage zat en de Italiaanse *Vogue* doorbladerde. Hoe iemand er op de grond van een vertrekhal aantrekkelijk kan uitzien, is mij een raadsel. Ik denk dat de Italiaanse *Vogue* meehielp. En eeuwen van opvoeding deden vast ook geen kwaad.

'Jaaa, zeker weten,' zei ze instemmend, terwijl ze een volgende bladzijde omsloeg. 'En ik wil ook een heleboel mooie leerzaken in,' voegde ze eraan toe. 'Zodra we aankomen, gaan we de Ponte Vecchio op. *Pronto!*'

Dat was ook zoiets: Portia spreekt Italiaans. Niet zo verrassend trouwens, als je bedenkt dat ze alles kan en doet wat van ontwikkeling en intellect getuigt. Geen wonder dat Freds me had gedumpt. Ik heb zo ongeveer het intellectuele niveau van Disneyland. 'Het enige Italiaanse woord dat ik ken, is volgens mij *amore*,' zei ik somber tegen Portia. 'En de enige jongen die ik ooit heb ge-*amored*, heeft me gedumpt.'

'*Pazzo*,' zei Portia.

Ik wist niet zeker of dat *pazzo* erg *simpatico* klonk, dus voegde ik eraan toe: 'O ja, en ik weet ook *simpatico, molto, grazie, prego, bella, avanti* en *mal*.'

'Bijna vloeiend dus,' merkte Portia op.

'*Molto fluento*,' beaamde ik, terwijl ik mezelf koelte toewuifde met mijn ticket na de schokkende ontdekking dat ik een complete taal kende die ik nog nooit had bestudeerd. 'Zuster Constance heeft gelijk. De hersenen van de tiener nemen inderdaad heel gemakkelijk kennis op.'

'Als je toch bezig bent, zou ik *pazzo* maar eens opnemen, schat,' zei Portia.

'*Pazzo?*'

'Dat betekent "geschift",' legde ze uit.

Ik wist niet goed wat ze met die opmerking bedoelde, maar ik had geen zin om erop in te gaan. 'Vind jij dat we moeten gaan roken?' vroeg ik. 'Ik bedoel, alle Italianen roken, toch? We willen op al die knappe Italiaanse schermjongens natuurlijk geen hopeloos wereldvreemde indruk maken.'

Portia schudde haar hoofd. 'Ik ga niet roken. We gaan niet onze longen vergiftigen terwijl we in Italië zijn om bij een sportevenement ons land te vertegenwoordigen.'

Ik viel bijna flauw toen ze dat zei – dat van het vertegenwoordigen van 'ons' land, bedoel ik.

Terwijl ik om me heen keek, drong het eindelijk pas echt tot me door. We gingen naar Florence om óns land te vertegenwoordigen. Ik weet dat ik een Amerikaanse ben. Ik bedoel, ik ben in Amerika geboren. Ik ben groot geworden met cheeseburgers en Coke, net zoals miljoenen andere Amerikaanse tieners met *pazzo* ouders. Maar aangezien ik in Engeland op school zat, kon ik niet veel betekenen voor het Amerikaanse schermteam, toch? Maar heel, héél misschien, als ik ontzettend mijn best deed, zou ik op een dag wel voor mijn eigen land uitkomen. Mijn geheime droom – mijn droom om voor de Verenigde Staten uit te komen bij de Olympische Spelen – leek opeens dichterbij.

Ik werd in mijn wilde fantasieën gestoord door Jenny, die een trieste poging deed om met Billy aan te pappen. Ik vroeg me even af of Portia jaloers zou zijn, maar ik nam aan dat zij net als ik merkte dat Billy zijn bewonderende blik geen moment van haar afwendde.

De rest van het team kwam langzaam binnendruppelen. Er zaten bij elkaar achttien schermers in het team; drie meisjes en drie jongens voor respectievelijk het schermen op floret, degen en sabel. Het ontsnapte niet aan Jenny's aandacht dat Portia en ik als enigen begeleiding bij ons hadden.

'Jezus, wat kinderachtig zeg. Kunnen jullie niet eens op jezelf passen, dat jullie je leraar en een paar nonnen meenemen? Mijn ouders laten me gewoon alleen gaan,' schepte ze op.

Ik was teleurgesteld in het niveau van haar hatelijke opmerking. Jenny had nog een lange weg te gaan voor ze Honey, de Martelkoningin, van haar troon kon stoten.

De scholen en ouders van de andere teamleden lieten de zorgen voor hun pupillen kennelijk over aan de Commodore, wat ik *molto* onverantwoordelijk vond. Naast Lullo en de nonnen hadden wij ook een fysiotherapeut – een man met extreme lichamelijke afmetingen. De kans was groter dat hij over een spier struikelde dan dat hij bij eventuele problemen iets nuttigs kon doen.

Lullo had hem eerder voorgesteld als dokter Draculochovichidoo of zoiets raars en hij had bij die gelegenheid uitgelegd dat dokter Draculochovichidoo erbij was om spierpijn en eventuele verwondingen te verzorgen.

'Om jullie lichaam geolied en gevechtsklaar te houden,' zei hij, om precies te zijn.

Volkomen *pazzo*.

Gatwick had die dag last van vertragingen. Tjonge, wat een verrassing. Uiteindelijk zaten we negen uur te laat in het vliegtuig. Inderdaad, negen uur te laat. Ik telde de dodelijk saaie uren een voor een hardop af, in de hoop Lullo een lesje te leren over het nut van te vroeg op het vliegveld verschijnen. Maar hij deed net of hij me niet hoorde.

Portia zat tussen Billy en een andere waanzinnig knappe jongen van het sabelteam, die door iedereen in het Alitalia-toestel met open mond van bewondering werd aangestaard. Sommige rijke meiden hebben echt alle mazzel van de wereld.

Lullo zat naast de Commodore. De vent van de fysio zat voorin met een paar puisterige floretschermers. Omdat zijn naam niet viel uit te spreken, besloten we hem Fizz Whiz te noemen. Als ik *we* zeg, bedoel ik zuster Regina en zuster Bethlehem, die aan weerskanten naast mij zaten. Zuster Bethlehem was alweer onder zeil voor ze ons goed en wel hadden laten zien hoe we onze gordels moesten omdoen en van de opblaasbare glijgoten moesten springen. Zuster Regina was een praatgrage, levendige reisgenote, vooral toen het karretje met drankjes een paar keer langs was geweest.

'Zuster, u mag niet zomaar al die flesjes cognac inpikken,' berispte ik mijn kleine bebaarde non die, toen de stewardess even niet keek, weer een handvol flesjes in haar zak stopte.

'Die zijn voor zuster Bethlehem,' legde ze lief uit, toen de stewardess omkeek en haar op heterdaad betrapte. De stewardess was blijkbaar gevallen voor haar charmes, want ze zei: '*Va bene*,' en stopte haar met een knipoog nog een handvol flesjes toe.

Toen we op Pisa Airport uitstapten, had zuster Regina een kleine zestig miniatuurflesjes cognac verzameld. En dan te bedenken dat Lullo er onderweg ongeveer evenveel had opgedronken. Hij slingerde door de douane als een boodschappenkarretje met een krom wiel en schepte luidkeels op over zijn olympische medaille, die hij liet zien aan alle douanebeambten en iedereen die we verder nog maar tegenkwamen. De Italianen reageerden met gepaste terughoudendheid, wat ik erg in hen bewonderde.

Omdat we met zo'n grote groep waren, moesten we met een bus naar ons *pensione* worden gebracht. Ik was te moe om veel in me op te nemen, maar van wat ik door mijn busraampje zag, was Florence het toppunt van *bellissima*. Alles zag er net zo prachtig oud uit als op een ansichtkaart en overal zag je Italianen als gekken staan roken en espresso drinken, precies zoals ik me altijd had voorgesteld.

'Misschien heb je het toch mis wat dat roken betreft,' zei ik tegen Portia. 'Ze doen het allemaal.'

Maar zij verzekerde me ervan dat ze gelijk had. 'Ik wed dat het allemaal toeristen zijn,' zei ze met enorm veel gezag. 'Waarschijnlijk Fransen.' Toen krulde ze minachtend haar bovenlip op.

Pensione Bella lag aan een hobbelig steegje, dat veel te smal was voor de bus, zodat we onze schermuitrusting zeker vijf kilometer moesten meesjouwen. Eindelijk zag ik het nut in van de bagageregel.

Pensione Bella was schitterend. *Bella*, inderdaad. Het werd beheerd door een oud vrouwtje dat ongeveer net zo klein was als zuster Regina en dat met niemand anders wilde praten dan met onze kleine non. En dat was niet omdat verder niemand van ons Italiaans sprak. Ze weerde Portia af alsof ze een minderwaardige boerentrien was en lachte spottend om mijn waanzinnig overtuigende Engels met een Italiaans accent. Ook gebruikte ze steeds woorden die begonnen met '*mal*' en ik weet van mijn lessen Latijn dat dat 'slecht' betekent.

Lullo en de *signora* hadden even een woordenwisseling over dat gesleep met de bagage, maar signora Santospirito versloeg Lullo met glans. Terwijl ze hem op zijn hoofd timmerde, schreeuwde ze: '*Tchuk! Tchuk! Malfagio, tchuk!*' Ik kon me niet anders voorstellen dan dat dat iets *très*, *très* onaardigs betekende. Arme Lullo.

Hij deed moedig zijn best om zijn waardigheid te herstellen door zuster Bethlehem galant in de brandweergreep te nemen en haar de trap op te dragen. Maar aangezien zij door de hele uitputtende klimpartij heen snurkte, was dat een ondankbare taak. Jenny maakte een hatelijke opmerking over Lullo, waardoor ik helemaal de behoefte kreeg om onze maffe, oude schermmeester in bescherming te nemen.

We hadden afgesproken dat we over een halfuur op de binnenplaats bij elkaar zouden komen, of, zoals de Commodore zei: We moesten om exact drieëntwintig punt nul nul uur op de binnenplaats zijn. Het leek wel geheimtaal. Maar goed, hoe uitgeput en lamlendig we ons op dit late tijdstip ook voelden, de Commodore stond erop dat we vandaag nog de strategie voor de schermpoules van morgen zouden doornemen. Billy's verstandige voorstel om het er 's morgens tijdens het ontbijt even over te hebben, werd van de hand gewezen. De Commodore wenste absolute stilte aan het ontbijt.

Toen de *signora* zich eindelijk verwaardigde ons de sleutel van ons grappige, kleine zolderkamertje te overhandigen, bleken Portia en ik Jenny op de kamer te hebben. Ik werd overspoeld door een waanzinnig déjà vu-gevoel: het was weer net als vorig jaar, toen we onze kamer moesten delen met Honey.

Omdat we alweer snel beneden verwacht werden, hadden Portia, Jenny en ik maar tien minuten de tijd om ruzie te maken over wie de badkamer mocht gebruiken. Portia en ik besloten na een snelle blik Jenny te laten winnen. Op het Sint-Augustinus hadden we geleerd hoe belangrijk het is kleine twistpunten uit de weg te gaan en je krachten te sparen voor als het er echt op aankomt. Volgens mij baalde Jenny ervan dat we ons zo gemakkelijk gewonnen gaven.

Om ons een beetje op te frissen, besproeiden Portia en ik elkaar met Evian. Toen kleedden we ons om in iets *belle* en stijlvols. Terwijl Jenny in het bad zat, genoten we van het uitzicht over de sepia- en amberkleurige stad met zijn smalle steegjes, boogbruggen en koepeldaken. Portia probeerde me nog wat bruikbare Italiaanse woorden bij te brengen, maar ik verzekerde haar dat ik het wel zou redden met mijn gave voor accenten.

Als we op onze grappige, oude metalen bedden met de prachtige wit damasten sprei gingen staan, konden we de boog van de Ponte Vecchio over de Arno zien. Het zag er heel *tranquillo* uit, wat volgens Portia Italiaans is voor 'vredig'.

Een laatste blik in onze oude, gespikkelde spiegel liet zien dat Portia uit iedere aristocratische porie van haar lichaam elegantie uitstraalde, maar dat Jenny en ik het zouden moeten hebben van een flinke lading lipgloss en mascara. Ik dacht dat Jenny een klein beetje ontdooide toen ik haar mijn lipgloss aanbood. Iedereen weet dat lipgloss het internationale vriendschapssymbool is van meisjes over de hele wereld. Maar toen boorde ze mijn hoop de grond in door te zeggen: 'Ik hoop dat je geen herpes hebt, Kelly.'

Maar ze gebruikte het wel.

Toen begon ik me zorgen te maken dat zíj misschien herpes had, maar ik zei niets. Ik moest mijn energie sparen voor als het er echt op aankwam.

De insubordinatie van de Commodore

De bijeenkomst werd gehouden op de prachtige binnenplaats, een grote, open, betegelde ruimte, die werd verlicht door theelichtjes. In het midden stond een marmeren fontein met een engeltje dat in zijn eigen waterpoeltje stond te plassen. Maar de atmosfeer was allesbehalve *tranquillo*.

Ik had verwacht dat we samenkwamen om elkaar een beetje te leren kennen. We waren op het vliegveld allemaal aan elkaar voorgesteld, maar ik was bijna alle namen weer vergeten, omdat we vrijwel meteen daarna met onze eigen groepjes verder waren gegaan.

Ten slotte stond de Commodore op, wat door zijn lengte al een behoorlijk intimiderende ervaring was, en hij kuchte. Ik schoof mijn stoel een beetje achteruit, voor het geval hij iets onder de leden had – ik bedoel, ik zat er niet op te wachten om bij mijn eerste toernooi ziek in bed te liggen.

'Goed, zo te zien is iedereen present,' begon hij. 'Welkom in eh… Florence. Ik hoop dat jullie inmiddels allemaal zijn ingekwartierd. Het toernooi begint morgen om elf punt nul nul uur met de poulewedstrijden. Ik stel voor om zes punt nul nul uur te beginnen met de patrouille.'

'Wat bedoelt u precies met "de patrouille", meneer?' vroeg ik ongerust. Ik ben geen meisje om om zes punt nul nul uur, of welk ander tijdstip ook, op patrouille te gaan.

'Ja, dat vraag ik me ook af,' viel Billy me bij. 'Als we pas om elf uur in de schermzaal hoeven te zijn, gaan we toch zeker niet al om zes uur op patrouille?'

De Commodore stak zijn vinger uit naar Billy, wat volgens zuster Constance zo ongeveer het verachtelijkste is wat je een ander mens kunt aandoen. Maar ja, zuster Constance heeft een erg beschermd leven geleid in het klooster en kijkt ook geen kabel-tv. 'Ik waarschuw je, Pyke, ik duld geen insubordinatie in mijn gelederen.'

'Ach, lazer toch op,' reageerde zuster Regina, waarop de hele binnenplaats begon te giechelen. Zelfs *signora* Santospirito giechelde mee. Vanaf dat moment ging het met het gezag van de Commodore snel bergafwaarts. Ik had zo'n gevoel dat het vanaf nu een festival van insubordinatie ging worden.

Ik zag ook dat zuster Regina al een aardig gat had geslagen in haar cognacvoorraad: ze trok openlijk een stuk of wat miniatuur-flesjes uit haar mouw en schonk die leeg in glazen die door de *signora* tevoorschijn werden getoverd. Ze gaf de miniatuurtjes door aan zuster Bethlehem, Lullo, Fizz Whiz en de *signora*, maar de Commodore sloeg ze opmerkelijk genoeg over. Ik zag een ader in de nek van de Commodore als een gek tekeergaan, maar hij zei niets.

Lullo stak galant zijn glas omhoog naar de *signora* om haar toe te drinken, en de ogen van de *signora* twinkelden. Ze knikte goedkeurend en glimlachte. Lullo wist zelfs de stekeligste dames voor zich te winnen, dat was duidelijk.

Hoewel we allemaal begonnen te klagen over hoe moe we waren, stond zuster Regina erop dat we het nachtleven gingen verkennen. 'Laten we een dansje wagen in een van die discoding-getjes waar ik in de reisgids over heb gelezen,' stelde ze voor, terwijl ze zuster Bethlehem aanstootte om haar te steunen. Zuster Bethlehem nam een slokje van haar cognac en glimlachte sereen.

'Kom, wij gaan bijna nooit uit. Doe niet zo saai,' drong ze aan. 'Heb medelijden met een paar oude nonnen en neem ons mee voor een dansje.'

'Maar we zijn nog minderjarig,' zei Portia.

Zuster Regina siste afkeurend. 'Onzin, kind! Dit is Italië; daar maken ze geen punt van zoiets onbenulligs als leeftijd. Trouwens, ik tolereer geen leeftijdsdiscriminatie. Dat keuren we in het klooster ten sterkste af.'

Nonnen leven echt in hun eigen kleine, *pazzo* wereldje. En Lullo was al even geschift. Hij gaf zuster Regina gelijk.

'Topidee,' zei hij instemmend, terwijl hij de Commodore tussen zijn ribben porde. 'Wat vind jij ervan, eh, Commodore? Kom, dan trekken we onze dansschoenen aan. We zullen die jongelui eens een poepie laten ruiken op de dansvloer, wat jij? Eh? Eh? Wat zeg jij ervan, Commodore?'

De ader in de nek van de Commodore stond zo langzamerhand op knappen. Hij siste Lullo met opeengeklemde kaken toe: 'Mijn naam is Mr. Rogers, zoals jij heel goed weet, Oscar. Maar als je dat liever hebt, mag je me ook Biffy noemen.'

Ach, wat is het toch triest en tegelijkertijd grappig om de voornaam van je leraar te weten!

'Mogen wij u ook Biffy noemen, meneer?' vroeg ik, waarop Portia, Jenny en de andere teamleden onderdrukt begonnen te giechelen. Een van de jongens, volgens mij iemand van het degenteam, stond zelfs op om mij de hand te schudden.

Biffy ging niet op mijn vraag in, maar hij was het met zuster Regina en Lullo eens dat 'wat lichte ontspanning' de teamgeest kon bevorderen. Ik vermoed dat hij zo probeerde weer wat gezag terug te winnen.

Dus gingen Lullo, Biffy, de nonnen, Fizz Whiz, Portia, Jenny, Billy, ik en de rest van het team (van wie ik de namen nog steeds niet wist) in de late Toscaanse avond op pad om 'een dansje te wagen'. Signora Santospirito had zuster Regina kennelijk uitgelegd waar we moesten zijn.

'Gokt u wel eens, Mr. Biffy?' vroeg zuster Bethlehem, terwijl we door de hobbelige steegjes liepen.

'Ik mag graag een partijtje bridgen, en als ik een goede tip krijg, waag ik wel eens een gokje op de beurs.'

'Wedden om tien pond wie Simsons haar heeft afgeknipt?' vroeg ze, terwijl ze hem met haar donzige nonnengezichtje onschuldig aankeek.

Nonnen. Ze zijn niet te stoppen.

Discotheek Pazzo

Ik had verwacht dat de discotheek vol zou zitten met dikke, oude Italianen met snorren en gouden kettingen om hun nek. Ik stelde me voor dat ze met hun vrouwen over de dansvloer zouden zwieren op liedjes van Tony Bennett, terwijl een aftandse discobal van het plafond naar beneden bungelde.

In plaats daarvan was de Cavern een donkere, bruisende, stampende, met stroboscooplampen verlichte tent, waar volop hiphopachtige muziek werd gedraaid. De portier besteedde nauwelijks aandacht aan ons *pazzo* gezelschap van nonnetjes, schermmeesters en minderjarige tieners. Hij zei iets tegen ons in het Italiaans en ik had diepe bewondering voor Portia toen zij hem antwoord gaf.

Er liep op de dansvloer een enkele besnorde man met gouden kettingen rond, maar dat was een uitzondering. De club was verder afgeladen met knappe jongens en beeldschone meisjes in *ooo-la-la*-outfits, met sigaretten en interessante drankjes in hun hand.

Billy en de andere jongens vroegen wat we wilden drinken. Zuster Regina vroeg twee limoncello's voor zichzelf en zuster Bethlehem, die zo langzamerhand in een waanzinnige staat van opwinding verkeerde. Ik zweer je dat ze met haar kleine, houten klompschoen meetikte op de maat van de muziek. De meesten van ons namen iets fris, maar Jenny moest zich zo nodig uitsloven door een ingewikkelde cocktail te vragen. Voor we het *pensione* verlieten, had ik gezien hoe ze stiekem een paar onderbroekjes in haar beha propte. Ik vroeg me af hoe deze avond zou aflopen als Jenny dronken werd en een jongen versierde.

Ik had verwacht dat Biffy wel bezwaar zou maken tegen de cocktail, maar hij knikte vriendelijk en schreef al onze bestellingen in een klein notitieboekje, dat hij uit een van zijn vele zakken tevoorschijn toverde. Toen liep hij met de jongens naar de bar. Het was zóóó duidelijk dat hij alleen maar probeerde te slijmen.

'Laten we eens in de plee gaan kijken,' stelde Jenny voor en haar vriendinnen waren daar meteen voor in. 'Ik heb gehoord dat ze in Italië van die hurk-wc's hebben,' zei ze, alsof ze zich verheugde bij het vooruitzicht. Als je het mij vraagt, had ze in de gaten gekregen wat de meesten van ons al hadden gezien, namelijk dat een van haar onderbroekjes boven haar topje uit kwam.

'Ik wacht hier wel even tot er een tafel vrijkomt,' zei ik tegen hen.

We zouden later nog genoeg tijd hebben voor hurk-wc's. Nu moest er iemand verstandig zijn, en wat dat aangaat hoefden we van Lullo, Biffy of de nonnen duidelijk niet veel te verwachten.

'Ooo, is het niet enig, Mr. Mullow? Ik hoop dat u uw naam in mijn balboekje schrijft,' zei zuster Regina, terwijl ik uitkeek naar een tafel. Zuster Bethlehem zag er opvallend wakker uit, maar ik verwachtte niet dat dat lang zou duren. Als ze indutte, moest er een stoel voor haar klaarstaan.

'Als dat Calypso niet is, de vrouw die mannen van hun plicht afhoudt,' zei een stem achter me.

Ik draaide me om en daar stond hij. Malcolm McHamish' Italiaanse dubbelganger. Er hing een uitgedoofde sigaret aan zijn onderlip en hij had een glas met een of ander drankje in zijn hand. Ik bekeek hem van onder tot boven en weer terug. Hij had een zonnebril op zijn hoofd en hij droeg een Italiaans pak en een

Pucci-overhemd met open kraag, maar afgezien van zijn Europees getinte kleding was hij een echte Malcolm-kloon. Toen begonnen mijn kleine grijze cellen te werken, en ik vroeg me af hoe deze onbekende mijn naam wist.

Ik zweer het je: als ik niet zo geschokt was geweest, was ik flauwgevallen. Het was echt Malcolm!

'Zoals altijd ben je weer een en al stijl en schoonheid, Miss Kelly,' zei hij. 'Ben je hier net aangekomen? Het is ongelofelijk, weet je dat? Ik loop je al dagen te bellen. Nou ja, één hele dag dan.' Een passerende ober stak de sigaret aan die aan zijn lippen bungelde. Malcolm bedankte hem uitvoerig in het Italiaans en drukte hem een stapeltje euro's in zijn handen.

'Wat doe jij hier? En hoe is het met Freddie?' vroeg ik gehaast.

Malcolm nam een lange trek van zijn sigaret voor hij antwoord gaf. 'Ah, je wilt het laatste nieuws over Zijne Koninklijke Kwallebal. Doodziek, de arme kerel. Heeft de nacht doorgebracht op de ziekenzaal. Dat overleeft normaal gesproken niemand.'

'Komt het wel weer goed met hem?' vroeg ik ongerust. 'Ik bedoel, ik heb geprobeerd hem te bellen. Ik voel me vreselijk schuldig over wat er is gebeurd.'

Malcolm wreef me geruststellend over mijn arm. 'Waarom? Jij hebt toch niet met die steentjes bij de brug gerotzooid, hè? Nee, die lieve Freds redt het wel. Ze hebben hem vanmorgen naar huis gestuurd, zodat de antibiotica daar hun magische werk kunnen doen.' Ik keek toe terwijl Malcolm zijn rook in een reeks kleine ringetjes naar het plafond blies. Waarschijnlijk verbeeldde ik het me, maar het leek alsof het gesprek hem op de een of andere manier verveelde. Ik kreeg dan ook de neiging ter plekke te gaan tapdansen om zijn aandacht vast te houden.

'Maar wat doe jíj hier eigenlijk, in Italië?' vroeg ik.

Hij gebaarde vaag met zijn sigaret. 'Ach, je weet wel, de gewone dingen. Een beetje feesten in Florence. Hier, probeer die DiSaronno eens, ik zweer je dat hij naar marsepein smaakt. Doet me denken aan kerst,' drong hij aan, terwijl hij zijn glas tegen mijn lippen duwde.

Ik nam een klein slokje en trok een gezicht. 'Ja, marsepein,' beaamde ik, terwijl ik het glas wegduwde. 'Maar waarom ben je niet op het Eades?'

'O, dat. Ja, ach, dit ideetje kwam zomaar op. De Film Society heeft erover gestemd en de meerderheid was voor, vrees ik.'

'Waar hebben ze dan over gestemd?'

'Of we het Britse schermteam moesten gaan filmen in Florence. Het leek ons een mooie gelegenheid om wat van die bedwelmende renaissancelucht op te snuiven, ons Italiaans een beetje op te poetsen en wat snuisterijen te kopen voor de oude *madres* thuis.'

Ik schudde mijn hoofd, nog steeds ervan overtuigd dat hij een droombeeld was. Toen zag ik Lullo, die met de nonnen over de dansvloer zwierde, en ik wist dat alles was zoals het in mijn maffe wereldje hoorde te zijn.

'Sorry, ik sta maar over mezelf te zeuren,' zei hij, terwijl hij me bij mijn hand pakte. 'Kom mee, dan gaan we iets drinken met de rest.'

Ik liet me meevoeren naar een grote, afgezette VIP-ruimte, waar de halve Film Society rondhing. Ze zagen er allemaal uit alsof ze net terug waren van een fotosessie voor Prada of Versace. Ze keken nauwelijks naar me om, tot Malcolm een ijsblokje naar Orlando gooide.

'Jullie kennen allemaal Calypso wel: de engel van Botticelli, van het Sint-Augustinus,' kondigde Malcolm aan.

Ze keken allemaal glimlachend op of staken hun glas omhoog, en daarna was ik zeker vijf minuten bezig om ze allemaal te luchtzoenen. En zelfs toen kletsten de meesten gewoon door, terwijl ze met hun lippen langs mijn wang streken. 'Ah, en daar hebben we de schone Portia,' riep Malcolm, terwijl ik nog bezig was met het luchtzoenen van de troepen. Hij zwaaide naar haar, waarop ze zich van de rest van de schermgroep losmaakte en naar ons toe kwam. Er begon een nieuw rondje luchtzoenen. Toen vroeg Malcolm: 'Wat wil jij drinken, Portia? Ik kan je de DiSaronno aanbevelen.'

'Ik heb al iets besteld, dank je, Malcolm. Wij hebben Billy bij ons, weet je nog wel? Wat doe jij hier?' Die laatste vraag was bestemd voor Tarquin, maar die stak alleen in een toastend gebaar zijn glas omhoog en vervolgde toen zijn geanimeerde gesprek met Orlando.

Malcolm antwoordde: 'Ach ja, die ouwe Pyke is gek op zijn sabel. Nee, hij is een van de helden die ons hiernaartoe heeft gehaald. Hoopt natuurlijk op glorieuze filmbeelden van de wonderjongen die de legendarische Italiaanse zwaardvechters in de pan hakt.' Toen richtte hij zijn aandacht weer op mij. 'Calypso, jij wilt zeker je vertrouwde merk.' Hij riep naar Orlando: 'Hunte, haal even een fles Veuve Clicquot, wil je? Of doe er eigenlijk maar twee, nee, drie, vier... tien! Ach, laten ze meteen de hele bar maar leegmaken.' Hij gooide een enorme berg euro's op tafel.

'Haal het zelf, McHamish,' antwoordde Orlando, terwijl hij de bankbiljetten met een lui gebaar naar Malcolm teruggooide. 'Ik ben net al geweest.'

'Hé, ik hoef geen champagne, hoor,' zei ik tegen Malcolm.

'Onzin, je leeft zo'n beetje op dat spul.'

'Nee, dat is niet zo,' zei ik eerlijk.

'Echt niet?' Malcolm keek geschokt. 'Waarom drink je er dan altijd zoveel van?'

'Dat doe ik helemaal niet,' zei ik, diep verontwaardigd. 'Ik vind het niet eens lekker.'

Malcolm veegde een gladgestreken lok haar uit zijn gezicht.

'Sorry, hoor, Calypso, maar jij zuipt champagne bij het leven. De eerste keer dat ik je ontmoette, toen je aan de blauweregen onder mijn raam hing – je zag er beeldschoon uit, daar niet van, maar ik dacht toen al: Malcolm, dit is geen gewoon meisje. McHamish, ouwe jongen, dit is een meisje dat spanning en gevaar zoekt in het leven. Het goot van de regen, het was ver na middernacht, maar jij klom langs de muur omhoog, op zoek naar jongens. Die laat zich door niets of niemand tegenhouden, dacht ik. En toen accepteerde je mijn aanbod om je in mijn kamer af te drogen, je legde je ondergoed over mijn radiator en je ging in een rechte lijn op de champagne af.'

'Ik was verdwaald,' legde ik woedend uit. 'Ik zocht Freddie, weet je nog wel? En jij bood me zelf die champagne aan.'

'Ah, maar als ik het me goed herinner, sloeg je het achterover alsof het water was.'

Portia onderbrak haar gesprek met haar broer Tarquin om te zeggen: 'Ze dronk het alleen omdat ze beleefd wilde zijn. Calypso drinkt bijna nooit.'

Malcolm rolde met zijn ogen en stak toen zijn hand omhoog om verdere discussie te stoppen. 'Campari en soda dan,' kondigde hij aan en meteen verdween hij in het gedrang, voor ik tijd had om uit te leggen dat ik de avond voor het toernooi geen alcohol kon drinken.

La dolce vita et cetera

De Campari met soda was rood. Niet dat ik ervan kon drinken, maar het stak leuk af tegen mijn groene jurk, dus roerde ik erin met mijn rietje, in de hoop dat dat er spetterend uit zou zien. Hoewel ik niet rookte, was ik er redelijk zeker van dat ik er *molto*, *molto* relaxed uitzag, met mijn elegante drankje in mijn hand, terwijl om mij heen de *pazzo* regeerde.

Zuster Bethlehem had in de vele jaren dat ze had zitten dutten blijkbaar aardig wat energie opgeslagen, want ze was de hele nacht niet van de dansvloer af te slaan. En ook Lullo, zuster Regina, Biffy en Fizz Whiz dansten of hun leven ervan afhing.

Malcolm, Billy, Tarquin, Orlando en nog een paar anderen gingen volledig uit hun dak.

'Zo zouden ze in Engeland nooit dansen,' merkte Portia op. 'Moet je Tarquin zien.' Ze wees naar haar broer, die op de dansvloer helemaal in zijn eigen, maffe wereldje leek op te gaan.

'Mijn idee. Het is gewoon tegennatuurlijk. Britse jongens verzetten nooit een voet op de dansvloer.'

Toen leunde ik achterover in mijn bank en zoog ik de bedwelmende geur van rook en *la dolce vita* in mijn longen. Ik werd die avond overspoeld door een vreemde mengeling van emoties. Het was heerlijk om vermaakt te worden door zo veel knappe jongens. Aan de andere kant was het een vreemd gevoel dat Malcolm hier was en ik voelde me *molto* schuldig dat Freds ziek was. Tarquin verzekerde me er net als Malcolm van dat Freds alleen een nare kou te pakken had, maar als schuldgevoel je eenmaal in zijn greep heeft, laat het zich niet zo gemakkelijk verdrijven.

Toen kwam Malcolm aan lopen en zonder zelfs maar te vragen of ik het goed vond, kuste hij me. Zomaar, totaal onverwachts, zonder te waarschuwen, drukte hij zijn lippen op de mijne en begon hij me te zoenen.

Nou, dan schrik je wel even. Ik geef toe dat ik het fijn vond toen hij me in Windsor kuste, nou ja, in ieder geval tot het moment dat Freds in de Theems viel. Maar dat was toen. Toen gingen we Freds jaloers maken. Dit was nu, onder het waakzame oog van het Britse nationale schermteam, mijn nonnen, Lullo, Biffy en Fizz Whiz – om nog maar niet te spreken van de Eades Film Society. Het was het toppunt van *mal*.

'Wacht eens even,' zei ik, terwijl ik me losmaakte uit zijn greep. 'Waar ben jij in lipglossnaam mee bezig?'

'Ik dacht eigenlijk dat ik je aan het zoenen was.'

'Ja, nou, ik weet niet wat de regels zijn bij Schotse filmtypes zoals jij, maar in de echte wereld ga je niet zomaar ongevraagd een meisje zoenen.'

Malcolm zag er totaal niet schuldbewust uit. 'Hoe bedoel je, ongevraagd?' vroeg hij. 'Sinds wanneer moet je dat vragen?'

'Ja, dat vraag ik me ook af,' mengde Orlando zich in het gesprek, terwijl hij de as van zijn sigaret in een asbak tikte. 'Is het soms een oude Shakespeariaanse gewoonte om een meisje om toestemming te vragen als je haar wilt zoenen?'

Vervolgens begon de hele tafel een uitgebreid debat over de vraag sinds wanneer het gewoonte was een meisje toestemming te vragen om haar te zoenen.

'Wat doet dat er nou allemaal toe?' vroeg ik.

Malcolm, die inmiddels met zijn rug naar me toe zat, keerde

zich om alsof hij nu pas mijn aanwezigheid opmerkte. 'Wat?' vroeg hij.

Tja, wat doe je in zo'n geval, vroeg ik me af. Dus stond ik op en liep ik weg. Ik zag Portia vanuit de verte naar me wenken. Malcolm had zich weer in het debat gemengd, dat een hoge vlucht had genomen. Citaten uit de Griekse Oudheid vlogen over en weer. Ik marcheerde nogal geïrriteerd af in Portia's richting.

'Serieus, Portia, soms vraag ik me af of jongens nou echt de moeite waard zijn. Je wilt niet weten wat Malcolm net deed.'

'Vertel dat straks maar. We hebben een probleem met Jenny. Ze is straalbezopen. Alison houdt op dit moment haar hoofd vast, zodat het niet in de toiletpot valt. Toen ik net binnenkwam, lag ze met haar hoofd onder water. Ik dacht serieus dat ze zou verdrinken. En ze vroeg nadrukkelijk naar jou. Kun jij het overnemen, dan ga ik even rustig met Lullo praten. Ik bedoel, de Commodore wordt gek als hij hierachter komt.'

'Maar Biffy en Lullo mogen allebei niet weten dat Jenny dronken is!' riep ik, maar toen vroeg ik me af waarom niet. Ik bedoel, wat kon Lullo er eigenlijk van zeggen? Toen ik om me heen keek, zag ik hem vooroplopen in de polonaise, die voor een groot deel bestond uit leden van ons schermteam en die werd afgesloten door Biffy. Hoezo, gênante vertoning? We waren hier in de hoofdstad van de stijl, en wij gedroegen ons als een stelletje trieste boerenpummels. Het was te *pazzo* voor woorden. 'Ik denk niet dat we veel aan Lullo hebben,' voegde ik eraan toe.

'Ik snap wat je bedoelt,' zei Portia, die hetzelfde had gezien als ik. 'Nou ja, kom toch maar mee om te helpen.'

Zoals Portia al had gezegd, zat Jenny met haar hoofd in de wc, die godzijdank niet zo'n hurkgeval was. Ze was volkomen lam, lazarus, ladderzat, of, om het eenvoudig te zeggen, stomdronken. We waren dan wel gezworen vijanden, maar in dit soort dingen moeten meisjes elkaar bijstaan.

'Hoi,' zei ik tegen Alison. 'Ik ben Calypso.' Dat waren waarschijnlijk de eerste woorden die ik tegen haar sprak, wat veel zegt over mijn inspanningen tot nog toe om een band op te bouwen met mijn teamgenoten. Maar ja, dacht ik bij mezelf, geen betere manier om een band op te bouwen dan door samen een dronken teamgenoot bij kennis te brengen.

'Ja, dat weet ik. Jij bent dat meisje dat iets heeft met die prins Freddie. Ik heb over je gelezen.'

'Jaaa, nou ja, ik hád iets met prins Freddie,' verbeterde ik haar, terwijl ik een brok in mijn keel voelde opkomen. 'Maar goed, laat mij het maar even van je overnemen. We moeten zien dat ze wat water binnenkrijgt.'

'Dat ga ik wel halen,' zei Portia, waarop ze Jenny aan Alison en mij overliet.

'Het is maar goed dat het toernooi morgen nog niet begint. Ze zal zich hondsberoerd voelen.'

Ik knikte instemmend, terwijl ik Jenny's hoofd uit de toiletpot omhoogtrok. Ze had haar ogen dicht en haar hoofd bungelde heen en weer. Ze zag er verschrikkelijk uit. 'Jenny?' zei ik, om te controleren of ze bij bewustzijn was. Dat trucje heb ik geleerd van oude afleveringen van *Beverly Hills 90210*. Altijd als er daar iemand dronken was of drugs had gebruikt, bleven hun vrienden aan een stuk door hun naam roepen. Soms werden ze zelfs in hun gezicht geslagen, maar daar zag ik edelmoedig vanaf.

Jenny kreunde alleen maar.

'Ze is er volgens mij niet best aan toe,' zei Alison, terwijl ze me een dot nat wc-papier in mijn hand drukte.

Ik veegde Jenny's gezicht af en zei tegen haar: 'Je moet zien dat je wat water binnenkrijgt, Jenny,' hoewel ze daar in haar toestand waarschijnlijk niets van begreep.

Ik probeerde het niet te laten merken, maar ik maakte me echt zorgen om haar. Ik bedoel, mensen gaan soms dood aan een alcoholvergiftiging, toch? Dat had ik tenminste gehoord bij Verzorging. Jenny zag er doodziek uit. De enige mensen die ik ooit dronken had gezien waren Honey en Stars vader en zijn vrienden, maar zelfs die waren niet zo dronken geweest als Jenny nu. Hoewel, dat is niet waar. Tiger drinkt zich regelmatig bewusteloos.

Portia kwam binnen met het water en het lukte ons Jenny er wat van te laten drinken. Jenny brabbelde met dikke tong mijn naam, wat ik een goed teken vond. Italiaanse meisjes liepen in en uit en het was 'mal' voor en 'mal' na. Ik weet dat het oppervlakkig klinkt, maar ik schaamde me dood terwijl ik daar op de grond zat en het haar van mijn antivriendin uit haar gezicht probeerde te houden, terwijl zij met haar hoofd boven de toiletpot bungelde. Dit plaatje paste niet erg bij het *dolce vita*-image dat ik nastreefde. Portia had gezegd dat we ons land vertegenwoordigden en dit was niet de manier waarop ik Engeland of Amerika (of Zuidwest-Mongolië, als het erop aankomt) wilde vertegenwoordigen.

'Ik heb het Lullo verteld,' zei Portia, toen Jenny het water ophad. 'Nou ja, hij komt er sowieso wel achter, toch?' voegde ze eraan toe, toen ze de ontzetting op mijn gezicht zag. 'Hij is naar het *pensione*. Hij heeft daar blijkbaar een paar zakjes elektrolyten liggen.'

'Ik denk niet dat we haar nog meer drugs moeten geven,' fluisterde ik heftig.

'Dat zijn geen drugs,' zei Alison behulpzaam. 'Het zijn een soort minerale zouten. Daar gaat het mineraalgehalte in haar bloed van omhoog.'

'We willen niet dat er bij haar verder nog iets omhoogkomt, of het nou dierlijk, plantaardig of mineraal is,' zei ik, terwijl Jenny haar armen om mijn nek sloeg en zei dat ze van me hield. Ik liet haar met tegenzin haar gang gaan terwijl ze mijn gezicht besnuffelde, waarna ze met een plof haar hoofd in mijn schoot liet vallen. Ze rook naar wc-water.

Portia en Alison lieten me met haar alleen – Alison om een Italiaanse jongen die ze had versierd te gaan vertellen wat er aan de hand was en Portia om nog wat water te halen. Ik bleef alleen achter met Jenny, die eigenlijk best lief was als ze dronken was. Behalve dan dat ze naar wc-water rook en scheel keek. Ze probeerde me nu in ieder geval niet dood te kijken.

Ik streelde haar over haar haar en zei een paar aardige, kalmerende dingetjes tegen haar. En toen begon ze te lachen. 'Erin gestonken!' gilde ze, terwijl ze rechtovereind ging zitten. Toen stak ze triomfantelijk haar vuist in de lucht.

Ik slikte mijn lieve woordjes in en wierp haar een dodelijke blik toe, maar ze haalde haar schouders op. 'Ik wilde alleen maar kijken hoe ver ik kon gaan. Maak je niet druk.'

'Eh... hoe ver je kon gaan met wat, precies?'

'Met jou en die arrogante vriendin van je, die Lady Blablabla. Jullie denken zeker dat je heel wat bent, met die Eades-jongens die speciaal voor jullie hiernaartoe komen.'

Ik had het mis. Jenny was net zo erg als Honey. Misschien nog wel erger. Zelfs Honey zou haar hoofd niet in een wc-pot stoppen om aandacht te trekken. Ze zou iemand anders zoeken om dat voor haar te doen, net zoals Delila iemand anders inschakelde om Simsons haar af te knippen.

Ik stond zo waardig mogelijk op, liep naar de wastafel en waste mijn handen. Toen stapte ik over Jenny en al haar *mal*-heid heen en verliet de plee. Ze moest het zelf maar uitzoeken met Lullo, Portia, Alison en de rest van het team en de volwassenen, die ongetwijfeld in een waanzinnige polonaise bezig waren om de situatie te redden.

Terwijl ik door de club liep, kwam ik Portia tegen. Ik pakte het glas water uit haar hand, liep terug naar de wc en gooide het over

Jenny heen. Toen greep ik Portia bij de hand en trok ik haar mee naar buiten, terwijl ik haar snel op de hoogte bracht van de gemene streek die onze antivriendin ons had geleverd.

'Wat moeten we nu doen?' vroeg Portia. 'Ik bedoel, Lullo is helemaal over de rooie. Hij is meteen teruggerend naar het *pensione* om elektrolyten te halen en…'

'Ik zal je vertellen wat we doen. We laten Jenny haar eigen drama oplossen en we gaan lol maken. Ik ga Malcolm versieren en jij Billy.'

'Maar we hebben het uitgemaakt.'

'In Engeland, ja. Maar nu zijn we in Italië, het land van lekker eten, mooie kleren en vurige liefde.'

Toen liep ik naar de tafel waar Malcolm en zijn vrienden nog steeds zaten te debatteren over de herkomst van het verschijnsel 'toestemming vragen voor een zoen'. En zonder wie dan ook om toestemming te vragen, ging ik op Malcolms schoot zitten en kuste ik hem dat de stukken er vanaf vlogen.

De stad van amore en melodrama's!

Hoewel zoenen met Malcolm een en al *la dolce vita* was en ik op een wolk van geluk naar huis had moeten zweven, schepte ik toch een vals genoegen in Jenny's ondergang. Ik stonk nog steeds naar wc-water. Ik heb geen flauw idee wat Malcolm ervan dacht, maar hij was óf te beleefd om er iets van te zeggen, óf hij rook niets door de sigarettenwalm die om hem heen hing. Ik was blij dat ik Portia's advies had opgevolgd en van die slechte gewoonte had afgezien.

Toen het schermteam hoorde van de streek die Jenny ons had geleverd, was iedereen het er stilzwijgend over eens dat ze naar Coventry moest worden gestuurd. Die lieve, kleine zuster Regina brak haar kleine nonnenhoofdje over de vraag waarom Jenny dit zou hebben gedaan.

'Ze lijkt meer op Honey dan we hadden gedacht,' legde ik haar uit, toen we die avond terugwankelden naar ons *pensione*.

'O, maar mijn lieve Calypso, wat een akelige, gemene streek. Ik kan zoiets gewoon niet begrijpen, kind,' mompelde zuster Regina, terwijl ze haar rozenkrans door haar vingers liet glijden.

Zuster Bethlehem snurkte overal vrolijk doorheen, terwijl Lullo haar in de inmiddels vertrouwde brandweergreep over zijn schouder meedroeg. Ze nam niet aan de discussie deel, maar als ze wakker was geweest, weet ik zeker dat ze er kapot van was geweest. Nonnen zijn dit soort aardse verdorvenheid niet gewend.

Toen Portia en ik ons klaarmaakten om naar bed te gaan, hoorden we hoe Jenny op haar nummer werd gezet. We staken ons hoofd uit het raam om niets van de rel te hoeven missen. Biffy waarschuwde haar: 'Nog één zo'n stunt, Frogmorten, en we gooien je uit het team. Zonder pardon!'

Toen was Lullo aan de beurt. 'Wat ben jij voor een halvegare, Frogmorten? Waarom moet je zo nodig zo'n stunt uithalen, eh? Eh? Je maakt deel uit van de Britse schermmachine, achterlijke idioot. We zijn hier, in Italië, om aan het spel der spelen deel te nemen! En jij stelt je aan als een kleuter met een luier over d'r kop!'

En toen hield Biffy een eindeloze preek over dat hij geen insubordinatie in zijn gelederen toestond. Dat verhaal begon al gauw zo te vervelen dat Portia en ik in slaap vielen.

De volgende ochtend hadden alle volwassenen een kater, wat *très*, *très* grappig was. O, wat hebben we gelachen. Vooral om Biffy die, in plaats van om zes uur op patrouille te gaan, pas om een uur of tien voor de dag kwam! En toen had hij ook nog het lef om tegen de *signora* te klagen dat haar mes zo veel herrie maakte als ze de boter op zijn toast smeerde. Ze wierp hem een blik toe waarbij ieder mes zou wegsmelten.

De nonnen waren nog niet op toen we vertrokken. Lullo vond het beter hen niet te storen, omdat ze zich anders misschien te veel zouden opwinden. Ik twijfelde er sterk aan of we zuster Bethlehem gedurende de rest van ons verblijf nog een keer wakker zouden zien. Maar goed, het was sowieso niet *permesso* om toeschouwers mee te nemen naar de poulewedstrijden.

Hoewel de schermzaal op de kaart die we tijdens het ontbijt hadden bekeken niet ver weg leek, beschuldigde Lullo Biffy ervan dat hij zijn zaakjes niet goed had georganiseerd en geen vervoer had geregeld. Maar Portia en ik vonden het heerlijk om de straten van Florence te verkennen. Behalve dan dat we onze schermuitrusting drieduizend kilometer moesten meeslepen.

Lullo sprong uit zijn vel toen Jenny begon te klagen.

'Wat heb jij nou te zaniken, halvegare? Je hebt jonge benen, je loopt maar.'

Ik vond dat hij daar wel gelijk in had. Het was heerlijk om door de straten te slenteren, zware schermuitrusting of niet. Florence was net een museum vol mooie mensen en designwinkels. Toen we over de Ponte Alle Grazie kwamen, bleven Portia en ik even staan om boven de Arno te hangen en gekke dingen te schreeuwen. Ik weet niet wat dat is met bruggen en bergen. Ze hebben gewoon zo'n uitwerking op je. Misschien kwam het door het winkeleldorado aan de andere kant bij de Ponte Vecchio, waar de meest schitterende designwinkels ter wereld knus langs de rivier liggen te wachten op het chicste winkelpubliek dat je buiten Milaan kunt vinden.

Terwijl we met ons hoofd over de brugleuning hingen, vroeg ik Portia hoe het zat tussen Billy en haar, in de hoop dat ze me een eerlijk antwoord zou geven. Ze begon alleen maar raadselachtig te glimlachen, waar we toen allebei weer vreselijk om moesten giechelen. Op dat moment kwam Billy met een paar andere jongens langslopen en hij vroeg wat er zo grappig was.

'We doen gewoon gek. Wij zijn tieners, namelijk,' zei ik tegen Billy, terwijl Portia haar best deed om niet te blozen.

De jongens die Billy bij zich had, waren best leuk, ook al waren ze erg klein. Een van hen schermde op degen en de andere twee zaten bij Billy in het sabelteam.

'Die Jenny is geloof ik een beetje gestoord, hè?' merkte een van hen op, maar niemand zei iets. Ikzelf had het helemaal gehad met Jenny. Tijdens het ontbijt was ze nog tegen me tekeergegaan omdat ik al het warme water had gebruikt. We praatten verder vooral over Lullo en Biffy en hadden het erover wat hun verschillende vormen van gekte voor voordelen zouden hebben.

Daarna fantaseerden we over hoe het Italiaanse team zou zijn. Waarschijnlijk waanzinnig goed.

Ik vond dat onze vriendschappelijke banden zich wonderbaarlijk goed ontwikkelden.

Toen we opstapten, gingen Billy en Portia bij elkaar lopen en toen ik hen samen zag kletsen en elkaar gebouwen en fonteinen zag aanwijzen, viel het me op hoe lief ze eruitzagen. Billy met zijn blonde haar, het toppunt van knapheid, en Portia met haar adellijke trekken en haar lange, donkerbruine lokken – ze waren gewoon voor elkaar gemaakt.

De schermzaal was naast een kapel van de Medici's en iets aan de vervallen schoonheid van het gebouw maakte dat ik eerbiediger ging lopen. Het Italiaanse team was al rekoefeningen aan het doen, maar dat weerhield de Italiaanse jongens er niet van om luidkeels *ooo-la-la* te roepen toen het Engelse meisjesteam binnenkwam.

'*Pappagallo*-alarm,' fluisterde Portia tegen me. 'Papegaaien,' legde ze uit.

'Wat zeggen ze dan?'

'Gewoon.' Ze haalde haar schouders op. 'Dat we zo mooi zijn, dat we zo'n prachtig figuur hebben, dat soort dingen.'

'Ooo, wat líéf!' gilde ik.

Portia schudde haar lange, bruine lokken. 'Nee!'

Maar als idioot lange blondine met pluizige pieken in haar haar, die als horentjes overeind blijven staan, hoeveel gel, lak of andere hulpmiddelen ik ook gebruik, ben ik blij met ieder compliment dat ik kan krijgen.

Toen viel mijn oog op onze oude schermmeester, professor Sullivan, de hoffelijkste, charmantste gentleman in de schermwereld. Ik stootte Portia aan en zwaaide even naar hem. Hij glimlachte en knikte, maar daar bleef het bij. Hij was altijd al erg spaarzaam in zijn uitingen, dus ik vatte zijn gebrek aan enthousiasme niet persoonlijk op. Toch wilde ik het liefst naar hem toe rennen en hem alles vertellen over hoe we onze plek in het nationale team hadden veroverd en over Star, die met schermen was gestopt vanwege haar muziek. Maar professor Sullivan was niet iemand met wie je zomaar een kletspraatje begon. Zo te zien was hij nu coach van het Italiaanse team, wat betekende dat wij de vijand waren. Ik liep dus samen met Portia heel beheerst langs hem heen en wist mijn neiging tot kletspraatjes in te tomen.

Ik had verwacht dat Lullo zich wel op de voorgrond zou dringen en *mano a mano* zou gaan met zijn voorganger, maar blijkbaar had hij nog te veel last van zijn kater. Hij zakte tenminste meteen onderuit op het eerste het beste bankje dat hij tegenkwam. Biffy liep wel naar professor Sullivan toe en de twee schudden elkaar vriendschappelijk de hand.

De Britse teamleden verdwenen in hun kleedkamers om hun schermuitrusting aan te trekken.

'Oké, nu ben ik wel zenuwachtig,' zei Portia, toen we onze kluisjes opendeden. Ze maakte een overdreven, huiverende beweging, wat niets voor haar is.

'Ik ook. Ongelofelijk dat professor Sullivan hier is, hè?'

'Ik was vroeger smoorverliefd op hem,' bekende ze. 'Ik ben bang dat ik door de zenuwen niet goed kan spelen.'

'Was ik de enige in het schermteam die niet verliefd was op professor Sullivan?' vroeg ik, en toen kregen we om de een of andere onbegrijpelijke reden een enorme giechelbui. We lachten tot we er bijna misselijk van werden. Maar goed, daar moet je bij zijn, anders is het niet grappig.

We hielden op met lachen toen Jenny binnenkwam. Niet alleen omdat ze vuil naar ons keek. Zij is zo'n meisje dat alle lol uit een kamer weet weg te zuigen. Ik weet dat je je waarschijnlijk afvraagt wat er zo lollig is aan een meisjeskleedkamer – zelfs in Florence. Maar daar zou je nog van opkijken. In een kleedkamer vertel je elkaar al die vertrouwelijke meisjesdingen en je kunt er kijken wat de anderen voor broekjes en beha's aan hebben – niet op een gore manier, maar om te zien of je een beetje in bent. Bovendien was dit onze eerste Italiaanse kleedkamer en we praatten allemaal met een Italiaans accent, wat waanzinnig ontwikkeld klonk. Ik moest niet vergeten mijn ouders te vragen of er Italiaans bloed door onze Kentuckyaanse/Engelse aderen stroomde – van de Kellysimo-tak van de familie misschien?

Als je Italiaans spreekt – of eigenlijk als het moet lijken alsof je Italiaans spreekt – is de truc om aan het eind van ieder woord een klinker toe te voegen, zoals 'telefona' en 'lippo-glosso'. Na tien minuten oefenen zou je hebben gezworen dat we in Florence geboren en getogen waren. Dat was eigenlijk wel een beetje zorgwekkend, want ik wilde niet dat iemand onze teams door elkaar haalde. Gelukkig stond er GBR op onze schermuitrusting.

Het was *molto* opwindend om voor onze eerste internationale wedstrijd onze schermuitrusting met GBR erop aan te trekken. O ja, voor Jenny binnenkwam, stond de hele kleedkamer bol van *la dolce vita*.

'Oh my God, hebben jullie gezien hoe coolissimo die jongens eruitzagen?' zei Alison met haar nieuw ontdekte Italiaanse accent.

'Italiaanse jongens schijnen echt een genetisch hoger coolissimo-gehalte te hebben dan Engelse jongens,' beaamde ik in mijn eigen perfecte accent. 'Maar volgens mij blijft dat niet,' voegde ik er spijtig aan toe. 'Heb je gisteravond in de discotheek die dikke, ouwe kerelissimo's gezien met die kettingen om hun nekko's?'

'Ik bedoel niet de Italiaanse jongens. Ik bedoel die jongens van het Eades die buiten staan te filmen,' zei Alison – helemaal zonder accent.

Jenny kreunde. 'Wat zijn jullie toch een idioten,' zei ze hatelijk.

'Je bedoelt *idioto's*,' verbeterde ik haar.

'Idioten,' herhaalde ze nogal zielig.

Ik besloot dat zij niet de moeite waard was om onze accenten aan te verspillen.

We spraken af dat we allemaal tegelijk de schermzaal in zouden gaan. Portia had mijn haar ingevlochten alsof ik een paard was, dus ging ik in een soort drafje. We zagen er allemaal perfect verzorgd uit. Zelfs op Jenny Frogmorten was niets aan te merken.

Toen ik de deur naar de schermzaal openduwde, liep ik met een knal tegen Malcolms camera op.

'Au!' schreeuwde ik, terwijl ik mijn neus vastgreep.

'O shit, sorry, schat, sorry.'

Maar voor ik hem in onvervalst Italiano duidelijk kon maken wat ik van hem vond, begonnen de Italianen allemaal voor ons te applaudisseren. De meisjes en jongens en zelfs professor Sullivan stonden allemaal netjes op een rij en klapten voor ons alsof we supersterren waren. Ik wist dat het alleen het team was, omdat er bij de poulewedstrijden geen toeschouwers werden toegelaten, maar het was toch vleiend en het gaf ons het gevoel dat we welkom waren.

Ik vergat mijn pijnlijke neus en zwaaide even naar onze fans, terwijl ik zo elegant mogelijk de loper op liep.

Biffy blies op zijn fluitje, waarna Lullo zonder enige reden besloot hetzelfde te doen. Officieel was Lullo er alleen bij om Portia en mij te begeleiden, maar ik vermoedde dat hij onofficieel nog een rekening te vereffenen had. Dat was meestal zo met hem.

'Namens het Italiaanse nationale team in de categorie tot achttien jaar heet ik onze vrienden uit Groot-Brittannië van harte welkom,' deelde professor Sullivan mee, eerst in het Engels en toen in het Italiaans. Toen maakte hij een heel lichte bui-

179

ging. Kijk, die man had dus stijl. In zijn hele hersenpan geen maf grijs celletje te vinden. Ik hoopte dat Lullo goed oplette.

Ik begon met mijn rekoefeningen en probeerde Malcolms lens te negeren, die voortdurend op mij gericht bleef. Het was *molto, molto* irritant, dat kan ik je wel vertellen.

Uiteindelijk riepen Biffy en professor Sullivan de namen voor de poules af en stuurden ze de spelers naar de verschillende lopers. Het was moeilijk om me niet bewust te zijn van Malcolms camera, die mij onophoudelijk volgde. Ik dacht dat hij hier was om Billy te filmen!

Mijn eerste tegenstandster heette Carlotta. Ze had een enigszins androgyne schoonheid, alsof ze zo uit een schilderij van Caravaggio kwam stappen. Ze had perfecte, raafzwarte krullen, die los om haar schouders hingen, en haar wimpers waren zo lang dat ze ze met gemak als wapen had kunnen gebruiken.

'*Ciao*,' zei ze, en ik *ciao*-de haar terug terwijl we elkaar op de aanwijsapparatuur aansloten en controleerden of de elektrische uitrusting werkte. 'Hoe zeg je bij jullie "succes"?' vroeg ze, terwijl ze volop met haar wimpers knipperde voor Italië.

'Eh… nou, gewoon succes, eigenlijk! Of *bonne chance*,' zei ik er voor de grap achteraan. Ze keek me aan alsof ik *pazzo* was.

Ik was me er akelig van bewust dat ik als een enorme vreemde, witte vogel boven haar uittorende. Ze was zeker veertig centimeter kleiner dan ik en ik moest denken aan Lullo's hatelijke opmerking over Biffy – dat je met een groter doelwit meer kunt raken.

Professor Sullivan was onze scheidsrechter, dus hij moest het startsein geven. Op het Sint-Augustinus sprak hij vroeger altijd Frans tegen ons. Maar nu riep hij ons met zijn superbeschaafde jaren dertig-Engels naar de achterlijn. Ik vermoedde dat het een geheime code was voor: 'Succes, landgenoten.'

Carlotta en ik brachten elkaar de schermgroet. Ik deed dat op de gebruikelijke Engelse manier, door vluchtig de kling van mijn sabel naar mijn lippen te brengen, maar Carlotta kuste haar wapen echt en sloeg het daarna op een waanzinnig stijlvolle en enigszins beangstigende manier door de lucht. Het geluid sneed als ijs door mijn ziel toen het tot me doordrong: ik vertegenwoordigde Groot-Brittannië. Ik schoot tekort. Ik had geen stijlvolle schermgroet. Ik was niet eens een Britse!

We zetten ons masker op en er werd '*Prêts! Allez! Avanti!*' geroepen.

Mijn Caravaggio-tegenstandster bewoog zich als een demoon over de loper. Haar voetenwerk was perfect en nog voor ze een uitval deed, wist ik dat ik niet aan haar kon tippen. Hoewel ik de geest van Jerzy Pawlowski, de grootste sabreur aller tijden, tot leven probeerde te wekken, hoorde ik de scheidsrechter alleen maar roepen: '*Priorité à ma droite,*' wat betekent dat rechts prioriteit heeft. Ik moet toegeven dat ik maar zelden '*Priorité à ma gauche*' hoorde.

Ik was *gauche*, links, onhandig, noem het maar op.

Eigenlijk schermde ik hartstikke goed. Carlotta was alleen waanzinnig veel beter. Ik had nog nooit iemand op zo'n fantastische manier de ene treffer na de andere zien scoren. Na afloop van de partij, toen ze haar masker afzette en het zweet van haar haar schudde, kon ik alleen maar zeggen: 'Jezusmina, Carlotta, jij bent goed. *Bene*, bedoel ik.'

Ze straalde, maar niet op een zelfvoldane, arrogante manier. Ze was alleen maar blij met mijn compliment en natuurlijk met haar winst. Ik straalde terug. Zelfs zweterig haar kon haar renaissancistische schoonheid niet bederven. Ik keek naar Malcolm. Hij had nog steeds zijn onafscheidelijke camera in zijn hand en de lens was nog steeds op mij gericht, maar ik vroeg me af of hij Carlotta en mij met elkaar zou vergelijken. Ik wel in ieder geval. Griezelig lange, blonde bleekscheet versus sensuele, beeldschone, stralende brunette.

En toen vroeg ik me nog iets anders af. Was ik jaloers?

In de twee uur daarna won ik een paar partijen, maar ik verloor er meer. Ik presteerde nauwelijks goed genoeg om de poule te overleven, maar ik overleefde. Dat betekende dat ik morgen in het toernooi zat. In tegenstelling tot Jenny, die was afgevallen.

Ik weet dat het oppervlakkig van me was, maar het gaf me het gevoel dat er toch nog gerechtigheid bestond. Soms gebeuren er rottige dingen met rottige meiden.

Professor Sullivan kwam na afloop naar me toe en vroeg: 'En hoe voelt het om in het nationale team te zitten, Miss Kelly?' Maar dan in het Frans, natuurlijk.

'Jaaa, hartstikke fijn wel, maar die meisjes zijn... Nou ja, ze zijn echt waanzinnig goed, hè? Denkt u dat ik ooit zo goed kan worden als zij?' vroeg ik met mijn beste benadering van een Frans accent.

En toen glimlachte hij. Het was een glimlach waar de hele schermzaal van oplichtte en toen gebeurde er iets wonderbaarlijks. Hij sprak voor het eerst van zijn leven Engels tegen me. 'Zeker wel, Calypso. Zonder enige twijfel zelfs. Als er iets is waar ik een oneindig vertrouwen in heb, dan is het in jouw vermogen om net zo goed te worden als je zelf wilt.'

Hij bracht het als het zinnigste wat we konden doen...

Toen we de schermzaal uit kwamen, greep Malcolm me bij de hand en trok me opzij.

'Kan ik je even spreken?'

Ik keek naar zijn hand, die de mijne vasthield, maar ik trok hem niet weg. Ik was helemaal blij en vrolijk en eigenlijk voelde het wel lekker, vooral toen hij mijn loodzware schermuitrusting van mijn schouder tilde en over zijn eigen schouder hing.

'Wat is er?' vroeg ik, maar hij trok me zonder iets te zeggen achter de oude Medici-kerk en kuste me lang en hard op mijn mond. Ik weet dat als jongens je zoenen, je hoort weg te zweven naar een droomwereld vol magische warmte en heerlijkheid, maar ik heb van die hersenen die nooit uitschakelen. Zonder het te willen vergeleek ik Malcolms kussen met die van Freds. Vreselijk fout en oppervlakkig, ik weet het. Maar Malcolms versierstijl was *molto* hartstochtelijk.

Zoenen met Freds was iets dromerigs. Ik vond het destijds altijd het toppunt van heerlijkheid, maar het was anders dan zoenen met Malcolm. Malcolm pakte een lokje van mijn natte haar, duwde het achter mijn oor en glimlachte. Ik woelde door zijn rode haar, keek in zijn heldergroene ogen en bestudeerde zijn gezicht. En net op het moment dat ik het in mijn gedachten prentte, drukte hij zijn lippen op de mijne en liet hij me weer achteroverzakken.

Plotseling trok hij me overeind, omdat er een priester voorbij-kwam. Hij zei de jonge priester gedag in het Italiaans en ze maakten even een praatje. Ik knikte en glimlachte en lachte als zij lachten, maar ze hadden het net zo goed over trigonometrie kunnen hebben.

Uiteindelijk liep de eerwaarde door om boodschappen te gaan doen – dat vermoeden had ik tenminste – en Malcolm richtte zich weer met zijn hele supersonische persoonlijkheid op mij. 'Ik heb je hulp nodig,' zei hij ernstig.

Ik dacht dat hij me weer wilde zoenen en ik tuitte al mijn lip-pen.

'Nee, serieus. Ik denk dat ik het perfecte onderwerp heb ge-vonden voor de film die ik hier wilde maken.'

'Ik dacht dat je hier was om Billy te filmen.'

'Heb ik dat gezegd?'

'Ja.'

Hij streek met zijn hand door zijn haar en heel even deed hij me aan Freds denken – een oudere, rossige, excentriekere Freds. 'Ik weet niet meer of ik dat wilde doen. Hoe dan ook, er is van-morgen iets gebeurd. Ik moet het je laten zien; ik wil jouw me-ning horen. Het is eigenlijk heel maf gegaan. Ik wilde vanmor-gen een tepelpiercing laten zetten en…'

'Wacht even. Waarom wilde je een tepelpiercing laten zet-ten?' vroeg ik, terwijl ik mijn best deed om niet te snel te oorde-len. Tenslotte had ik afgelopen zomer in Los Angeles mijn eigen navelpiercingsdrama meegemaakt.

'Wenkbrauwpiercings zijn zo passé,' zei hij, alsof dat de enige uitleg was die ik nodig had. Pff, jongens! 'Nou ja, en alleen hip-pies en motorrijders laten hun lippen en oren piercen, toch?'

'Ik denk het wel,' antwoordde ik, blij dat hij niet zei dat navel-piercings passé waren.

'En trouwens, ik denk dat de *madre* een rolberoerte zou krij-

gen als ik mijn gezicht zou laten piercen. Ik heb nog wel even gedacht over een polspiercing. De vent die het deed, aardige kerel
trouwens, een beetje vreemde vogel, maar hoe dan ook, die had
dus een polspiercing. Het was wel vet. Ik had er nog nooit over
gedacht om mijn pols te laten piercen. Maar ik denk dat het uiteindelijk toch lastig is, met handboeien en zo.' Toen begon hij de
opnamen op zijn videocamera te bekijken.

'Maar ik snap niet waarom je je überhaupt wilde laten piercen,' zei ik tegen hem.

'Wat?' Hij keek op. Blijkbaar was hij de draad van het gesprek
alweer kwijt.

'Waarom wilde je je überhaupt laten piercen?'

Hij leek hier even over na te denken. 'Ik begrijp wat je bedoelt.
Zo had ik het nog niet bekeken, maar goed, waar het om gaat…
Kijk, ik zal het je laten zien.'

Ik deed een stap achteruit. 'Doe weg. Ik wil je tepel niet zien!'
gilde ik. Ik beschouw mezelf graag als een stoere Amerikaan,
maar ik ben niet iemand die een nieuwe navelpiercing gaat be-
studeren – ook geen oude, trouwens. Star, Georgina en ik hadden de afgelopen zomer onze navels laten piercen, om onze
vriendschapsbanden te verstevigen, zeg maar. Maar mijn navel
ging ontsteken en Sarah dwong me om de piercing eruit te
halen, nadat ze eerst een scène had gemaakt bij de arme kerel die
hem had gezet. Nee, ik hoef mijn hele leven geen piercings meer.

Malcolm woelde door mijn haar en lachte. 'Ik was helemaal
niet van plan om je mijn tepel te laten zien,' verzekerde hij me.
'Trouwens, ik heb me op het laatste moment bedacht.' Toen
greep hij mijn hand en stond hij erop dat ik met hem meeging
om iets 'ongelofelijk cools' te gaan zien.

Ongelofelijk cool, ongelofelijk cool. Ik bleef die woorden in mijn
hoofd herhalen terwijl hij me door de lichte winterstraten van
Florence sleurde. Ik vroeg me voortdurend af wat een jongen als

Malcolm in algebra's naam 'ongelofelijk cool' zou vinden. Niet gewoon cool, maar ongelófelijk cool dus.

'Is het soms een fantastisch schilderij uit de renaissance? Ik weet het al! We gaan naar het Uffizi-museum om de Botticelli-zaal te bekijken!'

Hij lachte. 'Dat is de andere kant op. Wacht maar af.'

'Ik weet het al. We gaan naar een ouderwetse platenzaak. We gaan naar een platenzaak, zodat jij daar platen kunt kopen van trieste, ik bedoel coole Italiaanse bands uit de jaren tachtig waar niemand ooit van heeft gehoord.' Star had me eens verteld dat jongens dol zijn op vage bands waarvan ze denken dat niemand ze kent. Maar ja, Malcolm was niet zoals de meeste jongens.

'Nee,' zei hij vastbesloten. 'Wacht nou maar af.'

En toen zag ik een bioscoop in de verte. 'Ik weet het, ik weet het. Is het soms een kunstzinnige Italiaanse film?' O ja, dat zat er wel in.

'Nee.' Hij trok me nog sneller met zich mee. 'Wacht maar, we zijn er bijna.' We gingen een donker, smal steegje in en kwamen eerst langs een winkel waar ze brommeronderdelen verkochten en toen langs een tent die deed in tatoeages en bodypiercings. Ik begon al te hyperventileren, maar gelukkig stopten we daar niet.

'Ik weet het, je hebt een fantastisch vervallen, oud gebouw ontdekt waar een of andere krankzinnige dode Medici in heeft gewoond. Iedereen is het vergeten en is gestopt met zoeken. Maar jij hebt het ontdekt, onder een dikke laag klimplanten, en jij besefte als enige wat het was, en nu ben je…'

'Je moet echt schrijfster worden, Calypso. Jouw fantasie heeft een groter doek nodig.'

Natuurlijk was ik supergevleid en gelukkig. Freds had mijn creatieve geest nooit opgemerkt. Hij dacht gewoon dat ik gestoord was. Ik nam me voor tegen Miss Topler te zeggen dat mijn fantasie een groter doek nodig had dan haar klas.

'We zijn er,' zei Malcolm, gebarend naar een winkel. 'Nu kun je je nieuwsgierigheid dan eindelijk bevredigen.'

We stonden voor een dierenwinkel. Ik keek naar Malcolms gezicht, maar die keek de winkel in. Nou ben ik net als alle meisjes dol op dieren, maar je kunt in Groot-Brittannië nu eenmaal geen dieren invoeren zonder een speciaal dierenpaspoort en een microchip in hun oren. Je gaat in een dierenwinkel niet snel op zoek naar een souvenirtje. Ik tenminste niet. Ik zou bang zijn verliefd te worden op een jong poesje, of een puppy, of een hamster, en dan de ellende te hebben dat je zo'n beestje niet mee naar huis zou kunnen nemen.

Ik voelde er weinig voor om naar binnen te gaan en daar iets te zien wat te lief was om achter te laten, dus zei ik: 'Ja, en? Dit is gewoon een dierenwinkel. Hoezo, ongelofelijk cool? Die heb je overal.'

Malcolm sleurde me mee naar binnen. 'Kijk,' zei hij, wijzend naar een groot, houten krat vol kleine papieren doosjes die er een beetje uitzagen als dozen van de afhaalchinees. Ze waren allemaal leeg, op één na, en daarin zat een klein, zwartgespikkeld eendenkuikentje druk te piepen en met zijn vleugeltjes te slaan.

'Och, jeetje!' riep ik.

'Toen ik hier vanmorgen naartoe ging om na te denken over die piercing, zaten al deze doosjes vol met kuikentjes. Ik stond erbij te filmen terwijl de ene klant na de andere de winkel in kwam en zo'n kuikentje kocht. Ik heb hier denk ik een uur gestaan.' Hij begon in het Italiaans tegen de eigenaar van de dierenwinkel te praten.

De man gaf antwoord zonder van zijn krant op te kijken.

'Ja, Giuseppe denkt dat ik iets meer dan een uur binnen ben geweest. En in die tijd zijn alle kuikentjes verkocht. Behalve dit kleine kereltje hier.'

Het kuikentje stak zijn piepkleine snaveltje in de lucht. Het was net of hij ons aankeek en tegen ons praatte. '*Piep, piep, piep, piep!*' Eerlijk, zoiets liefs had ik nog nooit gezien. Zelfs Dorothy was niet zo schattig als dit kuikentje, hoewel die gedachte me meteen een waanzinnig schuldgevoel bezorgde.

'Mogen we hem vasthouden?' vroeg ik aan Giuseppe, met mijn beste Italiaanse accent. Maar Giuseppe scheen mijn prachtige Italiaanse Engels niet te begrijpen.

Malcolm vroeg het voor me in het Italiaans, maar aan het vele hoofdschudden en de wilde armgebaren te zien was het antwoord nee.

'Hij vindt het niet goed omdat vorige maand blijkbaar iemand een kuikentje op de grond heeft laten vallen en zijn vleugeltje heeft gebroken,' vertaalde Malcolm.

Al die tijd ging het kuikentje door met piepen.

'Maar ik begrijp het niet. Waarom heeft niemand hem gekocht? Hij is zo lief.'

'Jaaa, vind ik ook,' zei Malcolm, terwijl hij het hartverscheurend piepende kuikentje op de video zette. 'Ze vinden zijn spikkels blijkbaar niet mooi.'

'O, wat geméén. Dat is juist zo leuk aan hem.'

Malcolm maakte nog wat opnamen van dichtbij terwijl hij antwoordde: 'Helemaal mee eens.'

Ik kon het niet verdragen. Ik kon het echt niet verdragen. Het kuikentje bleef maar piepen en met zijn kleine vleugeltjes slaan. Waar was zijn moeder? Waar waren zijn vriendjes? Waar was zijn vijver om lekker in te spelen? Het was afschuwelijk en ik kon hem niet helpen, dus rende ik de winkel uit, de steeg in.

Malcolm haalde me in en trok me tegen zich aan. 'Sorry, ik wilde je niet van streek maken. Zie je, ik ben ten einde raad. Je moet me helpen. Ik wilde een filmpje maken van al die klanten die als gekken een kuikentje kwamen uitkiezen en afrekenen, maar toen niemand Rex uitkoos – zo heb ik hem trouwens ge-

noemd, Rex – veranderde het van een kunstzinnige documen-
taire in een drama.'

'Hoe bedoel je?'

'Ik kan dit op de filmavond op het Eades niet vertonen. Iedereen zou wanhopig de zaal uit lopen. Nee, ik moet er een happy
end aan zien te breien. Iemand moet dat kuikentje kopen. Ik heb
die vent al voor Rex betaald en gezegd dat hij hem gratis mag
weggeven. Dus als ik morgen terugkom, is hij hopelijk verkocht.'

Ik klampte me aan Malcolm vast, zoals ik me vastklampte aan
de hoop dat Rex een thuis zou vinden. Ik werd overspoeld door
emoties. Niet alleen omdat ik me Rex' ellendige lot aantrok,
maar ook omdat Malcolm me had meegenomen naar de dierenwinkel. Ik was ontroerd dat hij dit met mij wilde delen. Hij was
geen gewone jongen. Dat wist ik natuurlijk al, maar nu hoorde ik
Star in mijn hoofd aandringen: 'Ga ervoor, Calypso. Hij is zóóó
de ware.'

Misschien had ze gelijk. In tegenstelling tot Freds was Malcolm allesbehalve gewoon.

Het einde van het begin en
het begin van het einde

We hadden een rustige avond. Jenny ging mokkend naar bed. 'Die verdomde Italiaanse speelde vals en die lul van een scheidsrechter zag het,' schold ze.

'Professor Sullivan ziet alles,' zei Portia tegen haar, terwijl haar donkere ogen vuur schoten. 'En hij is de eerlijkste man die je je maar kunt voorstellen.'

Jenny stampte mompelend de kamer uit. 'Ik geloof dat ik haast nog liever met Honey te maken heb,' zei ik later tegen Portia. 'Dat is tenminste een waardige tegenstandster.'

'Dat denk je alleen maar omdat Honey hier nu honderden kilometers vandaan zit, Calypso. Het is net als in dat liedje: "Als je niet kunt zijn bij degene die je haat, haat je degene bij wie je bent".'

Portia kan *molto* wijs zijn. Waarschijnlijk door al die generaties inteelt.

We gingen vroeg naar bed, terwijl de nonnen nog met Lullo en de *signora* zaten te kaarten. 's Morgens namen we een douche en tutten we ons *molto* op voor het toernooi. Alleen Jenny zag er niet uit. Hoewel ze was uitgeschakeld, moest ze van Biffy toch naar het toernooi komen om de teamgeest te versterken. Vandaag mochten er toeschouwers bij zijn, dus de nonnen zaten al met schitterende ogen van opwinding aan het ontbijt.

'De *signora* heeft ons geholpen een spandoek te maken,' kondigde zuster Regina trots aan, terwijl zuster Bethlehem en zij een wit tafellaken omhooghielden.

'Maar zusters, er staat niets op,' zei ik, hoewel ik het vervelend vond om hun zeepbel door te prikken. Die arme oudjes, helemaal in de war.

De zusters wierpen elkaar een veelbetekenende blik toe, dat vermoed ik tenminste. Het is moeilijk te zien met die dikke brillenglazen. Toen draaiden ze het doek om, wat even duurde, omdat ze zichzelf er steeds in verstrikten. Maar eindelijk kwam de andere kant tevoorschijn.

Er was met professionele rode en blauwe verf op geschilderd: GROOT-BRITTANNIË REGEERT OP DE LOPER.

Portia en ik gaven ze een dikke knuffel.

Lullo zei: 'Zo mag ik het zien, zusters, we zullen ze een poepie laten ruiken.' Toen draaide hij zich om naar ons. 'Zo, meiden, vandaag is de dag dat jullie die fascistische Italiaanse heksen aan stukken gaan rijten. Geen ruggengraat, die Italianen, slapjanussen zijn het. Nee, Groot-Brittannië zal de schermzaal met hun Italiaanse bloed aandweilen. Ze kunnen net zo goed meteen naar huis gaan om bij hun moeder te gaan uithuilen.'

'Mr. Mullow, ik denk dat u tot de conclusie zult moeten komen dat ze al thuis zíjn. Wij zijn wat je noemt het bezoekende team,' verklaarde de Commodore, lachend in zijn walrussensnor.

'Niet lang meer, Biff, niet lang meer. Schermen is geen spel, zoals jij heel goed weet, ouwe strijdmakker van me. Het is oorlog! Gisteren hebben we ze in de waan gelaten dat we een stelletje watjes waren. Maar vandaag niet meer! Vandaag niet meer. Als er bloed moet vloeien, moet het hun bloed zijn en niet dat van ons, zeg ik maar. Te wapen, meiden, te wapen!' schreeuwde hij – en toen blies hij op zijn fluitje.

'Oké, dank u wel, Mr. Mullow, dat was erg interessant,' reageerde Biffy neerbuigend. 'Maar zoals u weet, heb ik hier de leiding en een leerzamer toon lijkt me hier op zijn plaats. Daarom zou ik willen zeggen: moge het beste team winnen.'

God, wat had ik een hekel aan die man.

Maar Lullo gaf Biffy niet de kans om zijn waanzinnige zeepbel stuk te prikken. 'Maak gehakt van ze!' schreeuwde hij, en wij staken allemaal onze vuisten in de lucht en begonnen te juichen.

Jenny zei: 'God, wat zijn júllie een idioten.'

'Jij bent anders de idioot die zich tijdens de poulewedstrijden heeft laten uitschakelen, slapjanus die je bent,' bracht Lullo haar in herinnering.

De jongens van de Eades Film Society wachtten ons op bij de schermzaal, waar de beeldschone Carlotta en haar teamgenoten al klaarstonden om ons in te maken. Malcolm stond te filmen en ik zwaaide even naar hem. Ik zette een dapper gezicht op om mezelf een beetje op te peppen, maar deze meisjes waren de alfa en de omega van perfectie – en dan heb ik het niet alleen over hun uiterlijk.

Toen we met onze rekoefeningen begonnen, barstten de jongens van het Eades uit in een luid gebrul, waar ik van moest blozen. Toen begonnen ze allemaal ordinaire voetballeuzen te schreeuwen.

'Eng-e-land! Eng-e-land!'

Toen het startsein voor de eerste partij werd gegeven, begonnen ze nog harder te schreeuwen en brulden ze ook nog een paar klassieke voetbalhits door de zaal.

Het was zóóó gênant. Vooral toen ik mijn partij verloor.

Toen ik mijn volgende tegenstandster de schermgroet bracht, ging ik in *zanshin*, een geestestoestand van de samoerai. *Zanshin* is een totale staat van paraatheid, die helpt als er geen tijd is om een actie of beweging vooraf te plannen of voor te bereiden.

Zanshin gaat verder dan techniek. Als je je tegenstander niet kunt dwingen zich aan jouw acties aan te passen, kun je met behulp van *zanshin* de richting en kracht van je slagen direct op de energie van je tegenstander afstemmen.

Ik verdreef de Engelse juichbende uit mijn geest. Ik verdreef Freds en Malcolm en het kuikentje uit mijn geest en vroeg om steun van boven.

Professor Sullivan en Lullo hadden totaal verschillende stijlen. Bij professor Sullivan draaide alles om snelheid, efficiëntie en schermen als lichamelijke vorm van schaken. Lullo was meer iemand van de woeste actie en de brute overheersing op de loper. Ik vroeg me af wat er zou gebeuren als ik me door deze beide stijlen zou laten inspireren. Toen het startsein voor de volgende partij werd gegeven, was ik geestelijk voorbereid op een agressieve schaakpartij.

Ik scoorde mijn eerste treffer met een klassieke professor Sullivan-manoeuvre: ik zette een schijnbaar doorzichtige aanval in door mijn tegenstandster te bedreigen met een slag tegen het hoofd. Dit dwong haar mijn aanval te pareren met wering vijf, waarna ik mijn kling omdraaide en moeiteloos een treffer scoorde in haar flank. Het punt was voor mij en we keerden terug naar de stellinglijn. Zoals ik had gehoopt, kon ik de gedachtegang van mijn tegenstandster redelijk goed voorspellen en daar deed ik de hele partij mijn voordeel mee.

Ik had gewonnen. Terwijl ik werd klaargemaakt voor de volgende partij, negeerde ik mijn pijnlijke spieren en blauwe plekken en bleef ik volkomen *zanshin*. Ik volhardde in mijn spel van bluf en tegenbluf, waarbij ik eerst agressief de aanval inzette en mijn tegenstandster vervolgens met een onverwachte manoeuvre aftroefde. Professor Sullivan had altijd veel aandacht besteed aan acties vanuit de pols en ik benutte de souplesse en kracht van mijn polsen die dag optimaal.

Terwijl ik na iedere punt naar de stellinglijn terugliep, was ik me vaag bewust van Lullo, die aan een stuk door op zijn fluitje blies en als een gek langs de verschillende lopers heen en weer rende. Ik sloot mijn geest hiervoor af en keerde terug in mijn *zanshin*-toestand, zodat zijn gewelddadige instructies om 'de vuile heksen de strot af te snijden' niet tot me doordrongen.

Ik won al mijn partijen met dezelfde combinatie van professor Sullivan- en Lullo-technieken. Maar ondanks mijn persoonlijke overwinningen kwam het Britse team ten slotte toch als verliezer uit de bus.

Ik weet dat dit waarschijnlijk klinkt alsof ik geen goede team-speler ben, maar ik vond het niet eens zo heel erg dat we onze eerste internationale wedstrijd hadden verloren. Er was die dag op de Italiaanse loper iets heel bijzonders met me gebeurd. Ik had een metamorfose ondergaan. Ik was nu een totaal andere sabreur dan toen ik nog maar twee dagen geleden uit Engeland vertrok. Door de technische vaardigheid van professor Sullivan te combineren met de brute aanvalskracht van Lullo was het me gelukt om als het ware op een speldenknop een slagveld aan te richten. De snelheid en felheid van de Italianen hadden me geleerd dat Lullo gelijk had: je hebt als sabreur heel veel agressie nodig. Maar professor Sullivan had ook gelijk: je agressie moet worden getemperd met nauwkeurige manoeuvres en intellectuele vaardigheid. Het Britse team had dit keer verloren, maar ik had goed gespeeld. Volgende keer zouden we met onze tegenstanders de vloer aanvegen.

De Italianen schudden ons hoffelijk de hand en stonden erop ons die avond mee uit eten te nemen. De meisjes waren na afloop in de kleedkamer *molto* charmant en hielpen ons enorm met ons Italiaanse accent. Zelfs zinnetjes als 'mijn haar is zóóó bezweet' klonken sexy met een Italiaans accent. Wanneer we terugkwamen op het Sint-Augustinus zou iedereen denken dat we Italiaanse godinnen waren.

Toen we ons hadden omgekleed, gingen we elk onze eigen gang. Billy en Portia gingen samen naar de Duomo en een beetje winkelen op de Vecchio. Malcolm trok me achter de Medicikapel voor een heerlijk potje zoenen.

'Je was fantastisch,' zei hij en hij gaf me nog een hartstochtelijke kus. 'Wat hád jij vandaag op die loper? Je was net een horde wraakengelen. Jij bent echt onvoorspelbaar en vol verrassingen, Calypso Kelly.'

Freds zei ook altijd dat ik vol verrassingen zat. Maar als hij dat zei, klonk het als iets vervelends. Zoals Malcolm het zei, gaf het me het gevoel dat ik een interessant, mysterieus wezen was, tjokvol onontdekte mogelijkheden.

Dus kuste ik hem op een heel onvoorspelbare manier.

De klus met het Italiaanse kuikentje

Toen we de dierenwinkel binnenvielen, legde Giuseppe de krant waarin hij had zitten lezen neer en schudde zijn hoofd. Mijn gebeden aan Maria, de heilige Franciscus van Assisi (de patroonheilige van de dieren) en iedere andere heilige die ik kende, waren niet verhoord. Zoiets is een zware slag voor het geloof van een jong meisje, dat kan ik je wel vertellen.

We hoorden Rex al piepen voor we in zijn doosje hadden gekeken. Hij sloeg vruchteloos met zijn kleine vleugeltjes en ik wist bijna zeker dat ik tranen in zijn oogjes zag. 'Hoe kan het grandioze Italiaanse volk, dat ons zo veel filosofen en theologen heeft geschonken, zo afschuwelijk omgaan met een hulpeloos kuikentje?' vroeg ik aan Malcolm.

'Hufterigheid is een internationaal verschijnsel,' zei hij, terwijl hij begon met filmen.

'Nou, ik denk niet dat de paus blij zal zijn als hij hiervan hoort,' mompelde ik bijna onhoorbaar, want Malcolm kon voor zover ik wist wel een atheïst of een agnosticus of zelfs een communist zijn.

'O, Rex,' snikte ik. 'Daar zit je nou in je zielige doosje zielig met je vleugeltjes te klapperen, en wij kunnen je niet helpen.' Ik wilde dat hij wist dat ik met hem meeleefde.

Rex piepte als een bezetene terwijl Malcolm hem filmde. Giuseppe legde zijn krant neer en kwam naar ons toe. Het werd me duidelijk dat achter Giuseppes harde uiterlijk een groot kuiken-liefhebber schuilging, want hij beduidde me met een handgebaar dat ik Rex toch mocht vasthouden.

Ik was eerst erg voorzichtig, maar toen ik hem naar mijn ge-zicht bracht om hem een zoentje te geven dook hij bijna uit mijn handen, dus toen pakte ik hem toch maar wat steviger vast. Ik zweer je dat hij het schattigste kuikentje was van de hele wereld. Ik had zijn gelukkige, effen gekleurde vriendjes gezien op Mal-colms video, en geen van hen had zo veel lef en karakter als hij. Rex was met al zijn spikkels een koning onder de kuikens.

Er kwam geen eind aan zijn wanhopige gepiep. Ik versta geen Italiaanse kuikentaal, maar ik weet zeker dat hij me smeekte hem mee naar huis te nemen. Zijn kleine snaveltje voelde als knippe-rende wimpers op mijn nek en wangen. Het kietelde een beetje en ik begon te giechelen. Niet dat ik niet *molto* ontroerd en wan-hopig was. Ik hield hem een beetje bij mijn gezicht vandaan en keek hem aan, van meisje tot kuiken. Zijn vochtige oogjes keken smekend terug.

Ik draaide me om naar Malcolm – nou ja, naar zijn cameralens – en ik vroeg me af of hij hetzelfde dacht als ik: deze hele situatie was afschuwelijk.

'Dit is gewoon te erg, Malcolm,' zei ik.

Malcolm keek me even aan. Hij keek echt, maar in plaats van me gelijk te geven, begon hij weer een gesprek, in echt Italiaans, met Giuseppe. En even later liepen we de winkel uit met ons nieuwe kuiken.

Terwijl we met een opgewonden piepende Rex over straat lie-pen, bedacht ik dat Freddie zoiets nooit zou doen. Er was zelfs een heel gemeen stemmetje in me dat zei dat Freds de kleine Rex nog eerder zou doodschieten dan dat hij hem zou redden. Maar ik wist dat dat niet waar was. Hoewel ik me wel afvroeg of Freds ooit zo gek zou zijn om in Florence een kuiken te kopen, zonder microchip en geldig kuikenpaspoort.

'Wat moeten we nu doen?' vroeg ik aan Malcolm, terwijl we door de steeg terugliepen. 'Ik bedoel, we kunnen Rex niet meenemen naar Engeland. Dit is de krankzinnigste beslissing die we hadden kunnen nemen.'

'Dat weet ik wel, maar zijn dat niet altijd de beste beslissingen?' antwoordde hij. Terwijl we gehaast verder liepen, bedacht ik dat Malcolm waarschijnlijk altijd gewoon alles deed wat er in hem opkwam. De manier waarop hij plotseling in Florence was komen opdagen, was daar een uitgelezen voorbeeld van. Hij was een excentrieke figuur en dat was eigenlijk precies wat ik leuk aan hem vond. Als filmmaker moest hij wel een beetje onrealistisch zijn, een maffe dromer.

Voor hém was dat prima.

In zijn excentrieke, Schotse wereld van onbeperkte financiële middelen, champagne en onafhankelijkheid kon hij het zich veroorloven om een dromer te zijn zonder enige grip op de werkelijkheid. Maar ik kon dat niet. Ik was niet Schots, niet rijk en ik haatte champagne. Bovendien hoorde ik in gedachten Bob al op zijn strengste, *pazzo* toon zeggen: 'Soms ga je echt té ver, Calypso.'

Stel dat mijn maffe *padre* gelijk had? Ik bedoel, zelfs een kapotte klok staat twee keer per dag gelijk.

We renden door de straten van Florence, woedend nagetoeterd door Vespa's die we voor de wielen liepen. We baanden ons een weg tussen de verwonderd starende toeristen en de mondaine, rokende en pratende terrasbezoekers door, en al die tijd piepte Rex er vrolijk op los. We konden hem in het *pensione* onmogelijk verborgen houden. Bovendien vertrokken we morgen al met het vliegtuig. Wat haalde Malcolm zich in zijn hoofd? Ik hoopte maar dat hij niet van plan was ons kleine weesje in de Arno te dumpen en daar aan zijn lot over te laten.

Misschien had hij deze hele reddingsactie alleen maar op touw gezet om het plot van zijn film een draai te geven.

Misschien was het hem alleen maar te doen om een happy end voor *Het Laatste Kuikentje*.

Misschien was ik maar bijzaak voor hem. Een prettige afleiding in zijn creatieve wereld van plotontwikkeling en ongebreidelde fantasie.

Misschien was ik toch beter af met een aardige, verstandige jongen als Freds.

Deze vragen gingen door mijn hoofd terwijl ik met een kuikentje door de straten van Florence rende, in plaats van een bezoek te brengen aan het Uffizi-museum, of te winkelen op de Ponte Vecchio, of iets anders verstandigs te doen. Ik zou eigenlijk mijn ouders ansichtkaarten moeten schrijven over het toernooi. In gedachten zag ik mijn ansichtkaart al in Clapham op de mat ploffen.

> Lieve Sarah en Bob,
> Florence is bellissimo! Mijn schermen heeft een spirituele dimensie gekregen – ook al hebben we het toernooi niet gewonnen. O, trouwens, sinds ik uit Engeland weg ben, heb ik een kuiken aangeschaft, dus als ik Engeland probeer binnen te komen, zal ik waarschijnlijk worden gearresteerd. Hij heet Rex.
> Liefs, Calypso
> XXXXXXXXXXXXXXXXXXXXXXXXXXXXXXXXXXXXXXXXXXXXXXXXX

Ik zette er idioot veel x'jes bij, om ze eraan te herinneren dat ik hun liefhebbende dochter was, zodat ze niet kwaad zouden worden.

> PS: Wat eten kuikentjes?
> PS2: Wat drinken kuikentjes?

Ik begon me nu echt vreselijke zorgen te maken over Malcolms motieven. Waarom had Freds me toch gedumpt? Hij was aardig en gewoon, en op dit moment had ik niets tegen gewoon. Gewoon was prima. Met Freds was ik nooit de gevangenis in gedraaid vanwege het smokkelen van kuikens. Het hobbelige steegje was te hard om in flauw te vallen, maar hemeltjelief (zoals mijn oma zou zeggen), ik was nog nooit van mijn leven zo graag flauwgevallen als die middag.

Zijn de gekste ideeën niet altijd de beste?

Kort daarna hadden Malcolm en ik onze eerste ruzie. Ik zal altijd met warme gevoelens aan die ruzie terugdenken. Het was in een café aan de Piazza della Santissima Annunziata, en we zaten allebei aan een dubbele espresso. Als je een plek zoekt om ruzie te maken, kan ik je dit prachtige, schilderachtige plein met zijn *molto bellissimo* zuilengalerijen en kerk van harte aanbevelen. Er staat trouwens ook een schitterend standbeeld van een vent op een paard, en twee fonteinen met apen die water laten lopen over een paar zeeslakken. Waanzinnig.

Het was niet alleen mijn eerste ruzie met Malcolm, maar sowieso mijn eerste echte ruzie met een jongen. Ruzie met Freds kwam er altijd op neer dat hij gewoon een hele tijd niet reageerde op mijn talloze telefoontjes, sms'jes en e-mails. Ruzie met Malcolm ging gepaard met echte stemverheffing en een verhitte uitwisseling van standpunten.

De ruzie ging over Rex, de arme lieverd. Eerst zat hij opgesloten in zijn doosje van de afhaalchinees, terwijl zijn vriendjes als zoete broodjes over de toonbank gingen. En nu, net nu hij dacht twee mensen te hebben gevonden die van hem hielden en voor hem zouden zorgen, begonnen die ruzie te maken over hoe hij meegesmokkeld moest worden. En dan was er nog het probleem waar hij moest gaan wonen. Want hoe volwassen en wereldwijs ik tijdens deze reis ook was geworden, feit was dat we allebei nog op school zaten en niet over de middelen beschikten om een kuiken te huisvesten.

'Kan hij niet bij jou?' vroeg Malcolm, terwijl hij een sigaret opstak.

'Ben je gek geworden?' gilde ik. 'Nee, laat maar, ik weet het al. Je bent natuurlijk hartstikke gek, anders liep je niet met kuikens te slepen.'

'Het is maar één kuiken, Calypso. Ik maak er niet echt een gewoonte van om kuikens te redden,' antwoordde hij. Zijn stem droop van het sarcasme en het ergerde me dat het hem op de een of andere manier lukte er tijdens zijn sarcastische opmerking nog knapper en volwassener uit te zien dan anders.

'Nee, nou, dat zou ook wel helemaal mooi worden. Dit is al superonverantwoordelijk,' zei ik, terwijl ik besefte dat ik nu net zo klonk als Bob.

'Jij was anders degene die er een dik drama van maakte in de dierenwinkel, schat,' bracht hij naar voren. Maar zoals hij het woord 'schat' zei, klonk het als een belediging.

'Nou,' zei ik pruilend. 'Ik kan er toch ook niks aan doen dat ik een gevoelig mens ben?'

'Rex, dat wordt nog een heel getouwtrek om jou,' zei Malcolm, terwijl Rex zich suf zat te piepen in zijn servetje.

Ironisch genoeg hadden we uitzicht op de Spedale degli Innocenti, het allereerste weeshuis van Europa. Malcolm probeerde Rex een paar kruimeltjes te voeren van zijn *biscotti*, wat naar mijn idee bewees hoe verschrikkelijk ongeschikt hij was voor het ouderschap.

'Ik denk niet dat je hem koek moet voeren,' zei ik tegen hem, hoewel Rex uit zijn dak ging van blijdschap. 'Daar krijgt hij gaatjes van.'

'Ook goed,' antwoordde Malcolm en gooide de rest van de *biscotti* op de tafel. Rex keek pissig mijn kant op.

'Prima,' antwoordde ik op mijn beurt, terwijl ik met een nijdig gezicht mijn armen over elkaar sloeg.

We zaten een poosje zwijgend te nippen van onze espresso terwijl de zon onderging, andere stelletjes elkaar knuffelden en Vespa's langs ons heen raceten.

Malcolm keek dreigend, maar hij zei niets. Toen pakte hij de *biscotti* weer op en begon er kleine kruimeltjes van in Rex' snaveltje te duwen. Het was echt heel lief om Rex te zien eten. Zijn kleine snaveltje stond geen moment stil.

Ik keek toe terwijl Malcolm ons kleine weesje vasthield en hem zijn kruimels voerde. Ik wist al dat hij excentriek, onvoorspelbaar en niet erg verstandig was. Dus misschien was het een beetje onredelijk van me om van hem te verwachten dat hij verstandige, doordachte beslissingen zou nemen. Als Freds hier was, zou hij precies weten wat hij moest doen. Maar ja, als Freds hier was, zou ik hier niet zitten met een eendenweesje.

Toch was Malcolm ontzettend lief voor Rex en terwijl ik naar hem keek, had ik opeens heel veel zin om hem te zoenen. 'Ik wil er geen ruzie over maken. Ik ben alleen bang dat we hem niet door de douane krijgen,' legde ik wat vriendelijker uit.

Malcolm keek glimlachend naar me op. 'O, eigenlijk heb ik wel genoten van ons kleine *contretemps*. Je lippen zien eruit om te zoenen als je boos bent,' plaagde hij, terwijl hij me een stukje *biscotti* aanbood om aan Rex te voeren. 'Luister, maak je geen zorgen. Ik vertrek vanavond. Het allerbeste is als ik hem in mijn handbagage meeneem naar Engeland,' zei hij, terwijl hij naar de ober zwaaide om een tweede espresso te bestellen.

'Maar dat kun je niet doen. Als hij door zo'n röntgenapparaat gaat, krijgen ze hem op het vliegveld meteen in de gaten en dan is hij overgeleverd aan de Italiaanse douane! Ik doe het wel.'

'Oké,' zei hij, zonder er verder nog iets tegen in te brengen. 'Doe jij het dan maar.'

En voor ik kon flauwvallen van ontzetting over wat ik had aangeboden, gaf hij me een zoen en de mensen aan de tafeltjes om ons heen begonnen te klappen.

'Zie je nou wel, mijn lieve, sabeldragende, wilde meid, ik eet alweer uit je hand.'

Op de terugweg besloot ik dat Malcolm geen geschikte jongen voor me was, al vond hij mij dan een wilde meid. Hij was me veel te excentriek, ook al was het dan op een creatieve manier. Het was grappig om met hem om te gaan, maar het leven was geen filmset. Wat ik nodig had was een leuk, normaal vriendje, dat mijn leven niet ingewikkeld maakte met kuikentjes en andere onvoorspelbare zaken. Want nu ik de ruzie had gewonnen en vaststond dat ik Rex mee naar huis zou nemen, drong het pas tot me door wat voor pyrrusoverwinning ik eigenlijk had behaald. Ik bedoel, hoe moest ik Rex door de douane smokkelen? Stel je voor dat ze me betrapten en me in de Old Chokey gooiden? Dan moest ik leven op water en brood en moest ik de luchtplaats delen met meisjes die vertrouwd waren met een bestaan vol misdaad en stiletto's.

Ik vermoedde dat het eten nog wel zou wennen.

Terwijl ik met een bezwaard gemoed over dit alles liep na te denken, zei Malcolm plotseling: 'Zullen we eens kijken of Rex kan zwemmen?' En voor ik kon waarschuwen of iets verstandigs kon zeggen, zette hij hem al in de fontein.

Rex voelde zich in de fontein meteen thuis als een eend in het water, maar toch. 'Hoe kun je zo onverantwoordelijk zijn!' schreeuwde ik. 'Hij had wel kunnen verdrinken!'

Malcolm lachte en toen tilde hij me op en gooide me achter Rex aan het water in.

Als ik nog twijfelde over de vraag of Malcolm een geschikte

jongen voor me was, verdronken mijn twijfels in die poel van dodelijke bacteriën.

'Rex,' zei ik, nadat we naar Malcolms indrukwekkende *palazzo* waren gegaan om ons af te drogen. 'Ik vind het heel erg om je dit te moeten vertellen, maar je ouders gaan uit elkaar.'

Malcolm zat met een van zijn grote, witte badhanddoeken mijn haar af te drogen toen ik dit schokkende nieuws aan ons eendenkind meedeelde. Rex scheen het goed op te nemen. Malcolm ook, en dat was waarschijnlijk nog wel het meest *molto* irritante van de hele situatie. Ik wist dat we niet officieel iets met elkaar hadden, maar we hadden samen een kuiken geadopteerd, en daarmee was hij technisch gezien dus de eerste jongen die ik officieel dumpte. Ik denk alleen niet dat Malcolm zich van dit technische detail bewust was, en dat was dus ook *molto* irritant. Als je iemand dumpt, wil je graag iets van teleurstelling zien.

'Ik hoop dat je beseft dat ik het meen,' zei ik tegen hem. 'Dat van dat uit elkaar gaan, bedoel ik.'

'Echt?' vroeg hij, terwijl hij het laatste stukje haar droogwreef. 'Misschien moet je me per sms dumpen. Dat zal me leren.'

'Ha!' zei ik, terwijl ik de handdoek greep en hem ermee om zijn oren mepte. 'Hoe durf je te spotten met mijn ellende!'

Toen achtervolgde ik hem door het *palazzo*, tot hij me in de keuken vastgreep in een mannelijke omhelzing. 'Zin om iets te eten, mijn beeldschone Botticelli-engel?' vroeg hij, terwijl hij me probeerde te kussen.

'Prima!' antwoordde ik, maar ik trok mijn hoofd terug.

Toen ging hij aan de slag. Hij flanste een Florentijns eiergerecht in elkaar en ik geef het niet graag toe, maar het smaakte goddelijk. Ik schepte twee keer op en daarna nam ik ondanks mezelf nog een paar heerlijke porties van Malcolms verrukkelijke zoenen. 'Als je maar niet denkt dat je nu ontdumpt bent, enkel omdat ik graag met je zoen,' zei ik streng tegen hem.

'Wat je maar zegt, cherubijntje van me,' zei hij plagend.

Het was al over elven toen hij me ten slotte terugbracht naar het *pensione*. Ik vond het goed dat hij zijn arm om me heen sloeg, maar dat was alleen omdat ik het ijskoud had. Toen hij me bij de deur probeerde te zoenen, duwde ik hem weg en stak ik mijn eerder voorbereide speech af. 'Ik vind je hartstikke aardig, Malcolm, maar we passen niet bij elkaar. Ik heb een leuke, normale jongen nodig, geen Schotse filmmaker met een tepelpiercing. Deze waanzin is te veel voor mij. Het was een heerlijke vakantie-liefde, maar nu moeten we onder ogen zien…'

'Calypso,' onderbrak hij me.

'Wat?'

Toen trok hij me tegen zijn borst en gaf hij me de heerlijkste zoen doe ik ooit van mijn leven had gehad.

'Jij zegt echt de idiootste dingen. Ik zie je zaterdag in Windsor,' zei hij, waarna hij bliksemsnel in het donker verdween. Ik stond nog na te zwijmelen van de onwezenlijke waanzin van dit alles toen er een Vespa voorbij raasde en me bijna van mijn sokken reed.

Ik belde aan bij het *pensione* en wachtte in de kille nacht tot er werd opengedaan. Met mijn kuiken tegen me aan gedrukt dacht ik na over het Malcolm-versus-Freddie-probleem, tot ik ten slotte werd binnengelaten door de nachtportier.

Op de binnenplaats zaten zuster Regina en zuster Bethlehem samen met de *signora* een of ander smerig goedje te drinken – de Italianen noemen het grappa, geloof ik.

'Ik ben teleurgesteld in je, Calypso,' zei zuster Regina, toen ik de binnenplaats op kwam.

Ik dacht dat ze het over Rex had, die als een gek zat te piepen. Het idee dat ik hem morgen met succes Groot-Brittannië in zou kunnen smokkelen, sloeg helemaal nergens op. Wat had me in 's hemelsnaam bezield om in mijn eentje de voogdij over Rex op me te nemen? Malcolm was als grote, knappe jongen toch veel beter tegen het harde leven in de Old Chokey opgewassen dan ik?

Ik zette Rex op de tafel, liet me in zuster Regina's armen vallen en snikte: 'O, zuster, ik wist niet wat ik moest doen. Niemand wilde hem kopen en Malcolm was hem aan het filmen en... Nou ja, toen hebben we hem gekocht en nu weet ik niet hoe ik hem door de douane moet smokkelen en hij blijft maar piepen en ik word straks in de Old Chokey gegooid en Bob en Sarah zullen...'

'Stil nou maar, kind,' zei zuster Regina sussend, terwijl ze me over mijn haar streek en signora Santospirito en zuster Bethlehem zich vertederd over Rex heen bogen. 'Wat is dit nou allemaal? Ik had het erover dat je het teamdiner hebt gemist.'

'O, nee. Nou heb ik meteen bij mijn eerste internationale toernooi al het teamdiner gemist. Gooien ze me nu uit het team, zuster?'

'Niemand gooit jou ergens uit, hoewel ik vermoed dat Mr. Mullow en Mr. Biffy je wel even boos zullen aankijken. Maar nu gaan we eerst eens die malle tranen wegvegen.'

Ze depte mijn tranen weg met een van haar lange mouwen. 'En wat is dat nou allemaal met de Old Chokey?' vroeg ze.

'Rex.' Ik wees naar hem. 'Ik kan hem hier niet achterlaten en ik kan hem ook niet mee naar huis nemen.'

'Ik kan hem meenemen in mijn mouw,' stelde zuster Bethlehem voor.

Ik keek haar aan en begon te glimlachen. Tjonge, wat was ze lief. Hartstikke gek, maar ontzettend lief.

'Niemand durft in de mouw van een non te kijken,' verzekerde zuster Bethlehem me.

'Dat is zo,' beaamde zuster Regina. 'Zelfs de grootste smeerlap niet.'

'Maar ze zullen hem horen piepen,' bracht ik ertegenin.

'Dan zeg ik dat het mijn gewrichten zijn,' zei zuster Bethlehem en daarmee was de zaak geregeld.

Je telt pas mee als iemand verhalen over je wil verkopen aan de pers

Ik was tijdens de vlucht naar huis op van de zenuwen, niet alleen vanwege onze smokkelactie, maar ook omdat ik iedere minuut een beetje dichter bij Freds kwam. Mijn gevoelens voor hem waren verwarder dan ooit. Zuster Regina dwong me wat cognac te drinken om rustig te worden, maar daar werd ik alleen maar misselijk van. Zuster Bethlehem sliep de hele vlucht als een blok en ik moest steeds controleren of ze Rex in haar slaap niet platdrukte. Gelukkig overstemde het geluid van de vliegtuigmotoren zijn onophoudelijke gepiep, maar toen we op Gatwick landden, was ik niet echt vol *joie de vivre*.

De aankomst was heel anders dan ik me had voorgesteld. Ik heb het niet over het binnensmokkelen van onze levende have, want dat verliep zonder problemen: samen met twee nonnen door de uitgang met NIETS AAN TE GEVEN lopen was een makkie. Dank u wel, Sint Judas, patroonheilige van de verloren zaken, u hebt weer goed werk gedaan.

Nee, de eerste die ik hoorde toen ik door de douane kwam, was Honey, die gilde: 'Dat is haar! Dat is haar! Die lange met die plukken op haar hoofd. Die met dat ordinaire topje aan.'

En toen begonnen er allemaal camera's te flitsen.

Verblind baande ik me een weg tussen honderden paparazzi door. Het geklik van de camera's was zo oorverdovend dat alle gedachten uit mijn hoofd werden verdrongen. Heb je wel eens gehoord dat een hert verstijft in het licht van de koplampen? Zo voelde ik me ook. Ik was doodsbang. Lullo had gelijk, ik was een slapjanus.

Mensen riepen mijn naam en schreeuwden me allerlei vragen toe, zoals: 'Hoe voelt het om het sletje van de prins te zijn, meid?'

'Is het waar dat je hem in de Theems hebt geduwd omdat hij je had gedumpt, Calypso?'

'Was je pissig?'

'Zijn al die dingen die je hebt gezegd waar? Hebben je ouders je als kind echt mishandeld?'

'Is het waar dat je iets hebt met zijn beste vriend, de Landheer van Killmarn?'

'Hoe was jullie liefdesnestje in Florence? Een geile bende zeker?'

Er werd aan alle kanten aan me getrokken en ik begon van me af te slaan. Toen zag ik in een flits mijn ouders staan, en ik hoorde hen boven het kabaal uit mijn naam roepen. Mijn heerlijke, beschermende, belasterde ouders, Sarah en Bob. Ze grepen me vast en ik greep hen vast, als een drenkeling die zich aan twee reddingsboeien vastklampt. Plotseling werden we omringd door vier kerels in pak met oortjes.

'Oké, mannen, wegwezen hier,' zei Bob, met een gezag dat me versteld deed staan.

'Maar mijn schermuitrusting dan?' gilde ik. Erg materialistisch, ik weet het. Maar serieus, werk jij je maar eens kapot om in het nationale team van jouw land te komen. Dan wil je ook je schermuitrusting niet kwijt.

'Daar wordt allemaal voor gezorgd, schat,' zei mijn *madre* op dezelfde toon die ze vroeger gebruikte als ik ziek was en thee met beschuit op bed kreeg – we hebben het over toen ik vier was.

De pakken voerden ons mee naar de wachtende limo, en al die

tijd gingen de paparazzi door met flitsen en vragen op me afvuren.

Het was *très, très merde* in het kwadraat.

Eindelijk klapte de deur van de limo dicht en hield het geflits van de camera's op. Ik kon weer iets zien. 'Wat is er aan de hánd?' vroeg ik.

Een paar onvermoeibare paparazzi bonsden op het dak en de ramen van de limo terwijl we wegreden. Waarom doen ze dat toch? Ik bedoel, dachten ze nou echt dat ik zou uitstappen om voor hun opdringerige cameralenzen te verschijnen en hun gore vragen te beantwoorden?

Ik vermoed van wel. Hoop is een sterke vorm van zelfmisleiding. Geloof me, ik spreek uit ervaring.

'Het leek ons het beste om je niets te vertellen zolang je in Florence was,' legde Bob uit. 'We wilden dat je al je aandacht bij het schermen zou houden.'

Mijn ogen waren nog steeds halfverblind door de flitslichten die de afgelopen tien minuten mijn netvlies hadden bestookt, dus ik moest mijn best doen om mijn blik scherp te stellen op de oortjes tegenover ons.

'O, en wie zijn dit?' vroeg ik, wijzend op de vier chagrijnen, die me opnamen alsof ik de hoofdverdachte van een misdrijf was.

'We dachten dat je misschien wel wat beveiliging kon gebruiken,' legde Bob uit.

'Tot het allemaal een beetje is overgewaaid,' voegde Sarah er haastig aan toe, terwijl ze me een geruststellend kneepje in mijn knie gaf.

'Beveiliging waartegen?' vroeg ik. Ik had het gevoel dat dit een flauwe grap was, of misschien een wraakactie naar aanleiding van Het Incident toen ik drie was. Serieus, ik zie mijn ouders best in staat om zo'n stunt uit te halen om hun gelijk te bewijzen. Ze komen tenslotte uit Hollywood.

'Eh... misschien moet je dit even lezen, Calypso,' stelde Bob voor, terwijl hij een stapel kranten op mijn schoot legde. 'Er is nog veel meer, maar dit geeft de kern van de zaak weer.'

'O,' zei ik, terwijl de eerste krantenkop me als een lacrossebal tussen de ogen trof. SLETJE VAN DE PRINS BEWEERT DOOR OUDERS TE ZIJN MISHANDELD!

Dit was erger dan Het Incident, dat was wel duidelijk. Ik bladerde door de eerste tien krantenkoppen. Ik werd ervan beschuldigd dat ik Freds opzettelijk in de Theems had geduwd, en dat ik had aangepapt met zijn 'beste vriend, de Landheer van Killmarn'. Malcolm had er niets over gezegd dat hij een landheer was – wat dat ook maar was. O, en ik was kennelijk een ongekend drankorgel. Er was zelfs een foto bij waarop ik samen met Honey in een nachtclub een cocktail achteroversloeg. Die was waarschijnlijk in het vorige trimester gemaakt, in dat weekend dat ze in mijn handtasje had gekotst.

Natuurlijk stonden er tientallen citaten van Honey bij. Ze had een persoonlijk verslag gemaakt van haar wanhopige pogingen om mij van de ondergang te redden. Haar stuk was getiteld: MIJN VRIENDIN DE SLET, met als ondertitel: *De hooggeboren Honey O'Hare, It Girl, lid van de beau monde en bron van inspiratie voor vele sterren, heeft haar honorarium voor dit artikel welwillend geschonken aan het goede doel Aalmoezen voor Armlastige It Girls.*

Natuurlijk had ze dat gedaan, de schat!

God, ik wilde dat Star er was.

Maar ik kon Honey niet overal de schuld van geven. Het ergste van alles was dat ieder artikel bol stond van de citaten uit mijn eigen stomme essay over mijn maffe ouders. Dat essay waar ik misschien een prijs voor kreeg. Had ik echt deze giftige onzin geschreven? Dit plaatste Nancy Mitfords boek, waarin ze slecht verhuld haar eigen familie beschreef, in een nieuw perspectief. Ik vond het een grappig verhaal, maar de meesten van haar familieleden wilden daarna niets meer met haar te maken hebben. Ik moest denken aan een van haar andere boeken, *A Talent to Annoy*. Misschien zou ik in de komende jaren een boek schrijven met de titel *Een talent voor drama*.

Hoe had ik ooit kunnen denken dat mijn essay over mijn trieste persoonlijke drama's zou worden uitverkoren boven essays van wezen, vluchtelingen en kinderen met een dodelijke ziekte? Er waren toch zeker genoeg tieners die echte rampen hadden meegemaakt?

Ik had het de afgelopen week zo druk gehad met Freds die me had gedumpt, de Tegendump en de nasleep daarvan, het toernooi in Florence, Malcolm en het meesmokkelen van jonge eendjes dat ik het essay helemaal was vergeten.

Nu zat ik in de *merde*. Ik keek naar Sarah en Bob, terwijl tranen van liefde, medelijden, berouw en angst zich met elkaar mengden en als een rivier van schaamte over mijn wangen rolden. 'Ik meende dat allemaal niet,' zei ik tegen hen. 'Echt, ik heb ook een heleboel aardige dingen over jullie geschreven. Eerlijk waar. Maar ik mocht volgens het wedstrijdreglement maar drieduizend woorden gebruiken en het moest gaan over grote traumatische gebeurtenissen. Ik wou dat ik dat stomme ding nooit had geschreven. Maar ik hou van jullie, echt waar!'

'Ach, schat,' lachte Sarah, en ze sloeg haar armen om me heen, terwijl Bob me op mijn rug klopte. 'Dat weten we wel. En we zijn echt hartstikke trots op je, lieverd. Dat essay is fantastisch.'

Ik was nu officieel de slechtste dochter ter wereld. Ik zou de woorden in een blok graniet graveren, om mijn nek hangen en ermee over straat gaan lopen.

Ik klampte me vast aan mijn moeder en vader en zij klampten zich vast aan mij en op dat moment wist ik dat ze totaal niet geschift waren. Nou ja, hooguit een klein beetje. Ik zou me toch niet vastklampen aan een paar gekken, of wel soms? Nee, ik had alles aan die twee vergevingsgezinde ouders van me te danken. Taferelen van ontelbare blijken van liefde, engelachtige daden en onbaatzuchtig gebrachte offers – allemaal voor een ondankbare dochter, die niet eens haar eerste internationale schermtoernooi had gewonnen – regen zich in mijn gedachten aaneen.

Mijn tranen bleven maar stromen, hoe vaak ze me ook bezwoeren hoe trots ze op me waren.

Trots? Op *moi*?

Misschien waren ze toch wel geschift! Ik keek naar mijn moeder en toen naar Bob. Ze zagen er best aardig uit voor een paar ouwe mensen van begin veertig. Mijn moeder moest nodig iets aan haar haar doen en Bob... Nou ja, zijn kledingstijl kon wedijveren met die van de ordinairste *wannabe* hiphopartiest die je je maar kunt voorstellen. Maar met een bezoekje aan Saville Row om zich een paar maatpakken te laten aanmeten, kon het nog wel wat met hem worden, besloot ik.

'Ik wilde echt niet meedoen aan die competitie, dat is waar. Maar ik heb die dingen wel geschreven en nu... Nou ja, nu zullen jullie me wel haten, toch? Een beetje?'

Bob en Sarah gooiden hun hoofd achterover en begonnen te lachen als... Ja, als gekken dus.

In iedere brief klopt een hart

Zondagmiddag kwam ik terug op school en voor het avondeten hadden alle meisjes van het elfde jaar zich verzameld op mijn kamer. Sommigen om hun solidariteit te betuigen, anderen alleen uit nieuwsgierigheid. Ik was de *cause celeb à la mode*.

'Onvoorstelbaar dat je je nog durft te vertonen na alle verhalen die je over Calypso hebt lopen ophangen!' beet Star Honey toe, toen die met haar sigaretten in haar hand binnen kwam wandelen.

Honey reageerde diep verontwaardigd. '*Moi*?' vroeg ze, terwijl ze geschokt op zichzelf wees. 'Ik heb alleen mijn best gedaan om het imago van mijn allerliefste vriendin een beetje op te vijzelen. Ik vond het niet meer dan eerlijk dat iemand ook háár kant van het verhaal vertelde. Sorry dat ik me haar lot heb aangetrokken.' Ze plofte neer op mijn kussen en liet zich onderuitzakken.

'Je hebt ze foto's gegeven waarop ze alcohol staat te drinken in een bar!' wreef Portia haar onder de neus. 'Wat voor imago wilde je daarmee nou precies opvijzelen?'

Honey haalde haar schouders op. 'Eigenlijk vond ik die foto *très* flatteus, als je bedenkt dat ik hem met mijn mobiel heb gemaakt.'

'Hoe hebben Bob en Sarah het opgenomen?' vroeg Indie, terwijl ze me met haar chocoladebruine ogen aankeek.

'Die waren echt geweldig.'

'Wat? En het essay? Hoe vonden ze dat dan?' drong Star aan.

Ik begon te lachen. 'Je kent Bob. Die verwachtte niet anders dan dat zijn dochter een literair genie was, en hij vond het niet meer dan logisch dat ik gebruik had gemaakt van mijn artistieke vrijheid.'

'Ik wist wel dat ze je zouden steunen, wat je ook zou schrijven,' bracht Star me in herinnering, terwijl ze me een Hershey's Kiss toegooide.

'Dat weet ik. Ik denk dat ik heb onderschat hoeveel waarde ze hechten aan creatieve processen, al is het de grootste rotzooi.'

'Ik denk eigenlijk dat je onderschat hoeveel ze van je houden. Jij hebt de coolste ouders van ons allemaal,' zei Star nadrukkelijk.

Daar was iedereen het mee eens – zelfs meisjes die Bob en Sarah nog nooit hadden ontmoet.

'Moet je horen, eigenlijk wil ik je dit niet geven, maar goed, ik denk wel dat je moet lezen wat hij te vertellen heeft,' zei Star, terwijl ze een brief van Freds naar me toe gooide.

Hij was niet geschreven op het briefpapier van het paleis, maar ik herkende het handschrift.

'Hij is van Freds,' zei ik, terwijl ik hem openmaakte. Ik keek naar de gretige gezichten van de meisjes om me heen. 'Ik lees hem later wel,' zei ik, maar toen stuurde Honey iedereen, op mijn beste vriendinnen na, de kamer uit. Om precies te zijn zei ze: '*Ciao, ciao*, meiden,' en toen klapte ze in haar handen, alsof ze een stel kippen uiteendreef. Natuurlijk bleef ze er zelf wel bij en hooguit de helft van de bende vertrok, maar ik las de brief toch hardop voor. Ik was gewoon te benieuwd wat erin stond en ik durfde hem niet in mijn eentje te lezen.

Lieve Calypso,

Ik weet niet of ik je deze brief eigenlijk wel moet schrijven. De laatste keer dat ik je een brief schreef, werd je razend en beschuldigde je het Paleis ervan dat zij hem hadden geschreven. Nu, dit keer schrijf ik op papier van school, dus tenzij je gelooft dat de duistere invloed van het paleis zich tot het Eades uitstrekt, hoop ik dat je wilt aannemen dat ik deze brief zelf heb geschreven en dat je hem wilt opvatten in de geest waarin hij is bedoeld.

Allereerst: heel erg sorry dat ik je per sms heb gedumpt. Dat had ik nooit mogen doen. Nooit.

Ten tweede: heel erg sorry als je je schuldig voelt over de Tegendump. Dat is niet nodig! Ik had het verdiend. Billy heeft me verteld hoe het in elkaar zat, maar neem het hem niet te erg kwalijk, hij is een beetje een oen als het om liefdeszaken gaat.

Ten derde (ik blijf aan de gang): heel erg sorry dat ik in de Theems ben gevallen en dat je naam door het slijk is gehaald in de mediagekte die daar natuurlijk weer op volgde. Zie je, dat is ook de reden waarom ik dacht dat ik niet bij je paste. Jij bent maf en wild en ik… Nou ja, ik dus niet. Ik zou het wel graag willen, maar iedere keer als ik iets doe wat niet helemaal gewoon is (zoals in de Theems vallen), is dat voorpaginanieuws. Daarom ben ik waarschijnlijk ook zo'n saaie sukkel.

Ik wilde je ook laten weten dat ik echt blij ben dat jij en McHamish iets met elkaar hebben. Hij past bij jou en jij bij hem. Ik vind het verschrikkelijk dat ik nooit meer zo'n cool meisje zal kunnen krijgen als jij. Ik denk dat ik me maar moet beperken tot mijn eigen saaie leventje en me erbij moet neerleggen dat ik nooit genoeg zal zijn voor jou. Ik zou graag wilder en cooler zijn, en excentrieke dingen doen en een meisje als jij waardig zijn zonder dat de media over me heen zouden vallen. Maar dat ben ik niet. Jij bent heel bijzonder, Calypso, en ik heb nooit zo veel gelachen als in de tijd die wij samen hebben gehad.

Maar goed, deze brief wordt veel te diepzinnig en te zielig. Ik zou zelfs bijna willen zeggen dat ik hoop dat we vrienden kunnen blijven, maar dat is natuurlijk te triest voor woorden. (Ik hoop trouwens dat je deze brief niet hardop voorleest.)

Laten we het hier dus maar bij laten.

Groetjes,
Freds. Xxx

Ik voelde de tranen in mijn ogen prikken terwijl ik het papier dubbelvouwde en voorzichtig in de envelop terugstopte. Deze brief zou ik absoluut bewaren, wat Star daar ook van vond.

'Ik heb me vergist,' barstte Star los, met haar ogen vol tranen.

'Wat?'

Ik kon het bijna niet geloven, maar haar lip trilde echt.

'Ik heb me vergist in Freds. Je moet hem terug–'

Ik viel haar meteen hoofdschuddend in de rede. 'Nee, ik ga hem niet terugpakken, geen sprake van. De Tegendump was een ontzettend stom idee. Ik ga absoluut niet–'

'Nee, ik bedoel niet dat je hem terug moet pákken, je moet hem terugnémen. Hij houdt van je. Jij houdt van hem. Ik dacht dat hij een verwaande, saaie bal was, maar dat is niet zo. Hij is aardig en hij is echt en hij is –'

'Ze is nu met Malcolm,' merkte Portia op.

Ik sprak haar niet tegen, omdat ik geen zin had om het hele

Italiaanse dumpdrama uit de doeken te doen – ik denk trouwens toch niet dat ze het hadden willen horen.

'Malcolm is niet goed snik,' zei Star, terwijl ze hem met een korte beweging van haar rossige lokken afdeed.

'Ik vind hem leuk,' zei ik tegen haar, hoewel mijn hart bonsde na wat ze had gezegd over dat ze zich had vergist in Freds.

Bovendien vond ik Malcolm echt leuk. Sterker nog, ik miste hem nu al, terwijl ik er toch van overtuigd was dat hij een beetje te veel drama was voor een dramatisch typje als ik.

'Ik vind Malcolm ook leuk,' beaamde Star. 'Eigenlijk vind ik hem leuker dan Freds, maar daar gaat het niet om.'

'Ik denk dat Calypso gelijk heeft,' mengde Indie zich in het gesprek. 'Ze is nu met Malcolm.'

'Vind ik ook,' beaamde Portia, terwijl ze even opkeek uit haar tijdschrift.

'Jammer dat hij niet aan polo doet,' zuchtte Fenella. Haar zus Perdita was het met haar eens.

'Nou, als iemand míjn mening wil weten,' begon Honey, maar ze werd meteen door alle meisjes in de kamer tegen de grond gewerkt en bedolven onder de dekbedden.

Toen ging mijn telefoon. Het was Malcolm. 'Hoe is het met Rex?' vroeg hij.

'O, mijn god!' riep ik uit. 'Ik was Rex helemaal vergeten!' zei ik tegen de kamer in het algemeen.

'Wie is Rex?' vroeg Star geluidloos. De anderen keken alleen maar verward.

'Ik bel je terug,' zei ik tegen Malcolm, en ik drukte hem weg.

'Ik heb jullie nog niet eens verteld over Rex,' zei ik tegen de kamer.

'Doet Rex aan polo?' vroeg Perdita, terwijl ze plotseling geïnteresseerd overeind schoot.

'Jaaa, en is hij knap?' vroeg Clemmie. 'Ik heb in geen tijden een jongen versierd. Straks drogen mijn lippen nog in.' Ze liet zich wanhopig achterovervallen.

Hebben alle tieners zo'n verwarrend leven als ik, vroeg ik me af, terwijl ik mijn *pazzo* verhaal begon te vertellen over *Het Laatste Kuikentje*.

Flirten met vroeger in het Vrijersbosje

Zuster Regina en zuster Bethlehem hadden Rex op een fantastische manier geïnstalleerd in het klooster. Alle nonnen waren gek op hem en die liefde was wederzijds. Ze hadden de tuinman een vijvertje laten graven en er werden al plannen gemaakt om een kleine metgezel voor hem te zoeken. Niet dat hij ooit eenzaam was. Het was schattig om te zien hoe hij zuster Regina overal volgde. Ik vroeg me af of ik dat Dorothy ook kon leren. Het zou er zóóó cool uitzien om door Windsor te lopen met een lief, huppelend konijntje achter me aan.

De hele week werden we lastiggevallen door journalisten die een persoonlijk verhaal van me probeerden los te krijgen. Maar zuster Constance had intussen heel goed door hoe de paparazzi te werk gingen en ze wist al hun pogingen te verijdelen. Het volgende weekend werden alle uitstapjes naar Windsor verboden, maar niemand nam me dat al te erg kwalijk, want het was toch smerig weer. Bovendien was zondagavond het Burns Feestmaal, waarbij onder feestelijke begeleiding van doedelzakmuziek de pizza naar binnen zou worden gedragen. En Star en Indie zouden met hun band míjn liedje uitvoeren. Nadat Indie het met haar verpletterende gitaarsolo te lijf was gegaan, had ik het niet meer hoeven herschrijven.

Malcolm belde me soms op en stuurde af en toe een sms'je,

maar hij had het te druk met het monteren van *Het Laatste Kuikentje* om veel aandacht aan me te besteden. De film zou volgende week zondag op het Eades worden vertoond en het Sint-Augustinus was daarbij ook uitgenodigd. Ik vroeg me af hoe de film zou zijn en ja, oké, ik vroeg me ook af of hij tijd zou hebben om met me te zoenen. Maar ik dacht vooral aan Freds – niet omdat ik me afvroeg of hij me zou zoenen, want daar was hij heel duidelijk over geweest in zijn brief – maar omdat ik wilde weten hoe het zou zijn om hem terug te zien. Ik had zijn brief talloze keren gelezen en herlezen en ik was het met Star eens dat ik hem op zijn minst antwoord moest geven. Wat was de etiquette met koninklijke ex-vriendjes?

Ik zag niet in wat er zo triest aan was om vrienden te blijven. Ik bedoel, we zouden elkaar vast nog genoeg tegenkomen. Onze scholen lagen tenslotte vlak bij elkaar en we zaten allebei in het sabelteam van onze school.

Nadat ik eerst vijf brieven had geschreven en weggegooid, besloot ik hem een sms'je te sturen om te vragen of hij zin had om naar het Vrijersbosje te komen om bij te praten. Het Vrijersbosje leek me een goede plek, want in Windsor en om het hek van de school wemelde het nog van de glurende paparazzi.

Freds antwoordde meteen.

Zondagmiddag bij boom waar jij eens door bloedhond in bent gejaagd? F.

Ik antwoordde:

Zie je daar. C.

Ik probeerde niet te lang stil te staan bij het feit dat we geen x'jes meer deden. Ik besloot Rex mee te nemen. Ik kon de steun goed gebruiken en het leek me ook handig om er een derde partij bij te hebben om het ijs te breken. Star durfde ik niet mee te vragen, omdat die vast en zeker instructies in mijn oor zou gaan fluisteren.

Het sneeuwde, dus wikkelde ik Rex in een doek die zuster Bethlehem vijfhonderd jaar geleden had gehaakt en die naar mottenballen rook. Door de stank moest ik de hele weg door het bos niezen. Het sneeuwde een beetje, maar heel weinig sneeuwvlokken bereikten tussen de kale takken van de bomen door de grond. Alles was stil en toverachtig en ik verwachtte bijna dat er een leeuw tussen de bomen vandaan zou komen en met me zou gaan praten. Ik had Honeys pepperspray bij me, voor het geval we een bloedhond tegen het lijf zouden lopen die zin had om een kuikentje op te eten, maar ik kwam er geen een tegen.

Ik had expres een spijkerbroek en een wijde trui met een capuchon aangetrokken, zodat Freds niet zou denken dat ik indruk op hem probeerde te maken. Ik had er ook op gelet alleen ladingen lipgloss en mascara op te doen, met het oog op het natuurlijke effect waar jongens zo gek op zijn. Zorgeloos en nonchalant, zo wilde ik overkomen.

Freds stond al bij de boom. Zoals gewoonlijk keurig op tijd. Zijn haar stond niet alle kanten op, zoals ik het altijd zo leuk vond, hoewel ik niet meer zo gek was op zijn haar nu ik wist dat hij stiekem gel gebruikte. Hij had het laten knippen en hij zag er eerder kwetsbaar uit dan cool, maar o, mijn god, hij was nog steeds onvoorstelbaar knap. Het zal wel met het prinsengedoe te maken hebben.

'H-hoi,' stotterde ik onbeholpen. 'Eh… dit is Rex. Ik dacht dat je hem wel zou willen zien, want eh… Nou ja, hij is de ster in de film die Malcolm in Florence heeft opgenomen en eh… die krijg je zondag dus te zien. Hij is helemaal opgewonden. Rex, bedoel ik. Hoewel Malcolm natuurlijk ook wel waanzinnig opgewonden zal zijn. Ik bedoel, het is zijn film,' rebbelde ik.

Freds lachte. Ik wist niet zeker of hij lachte omdat ik zo stom stond te kletsen of omdat hij me grappig vond.

Freds streelde Rex over zijn snaveltje en Rex hapte Freds in zijn vinger. Het was allemaal erg ontroerend. Toen haalde Freds hem uit zijn dekentje en zette hem in de sneeuw. Rex werd helemaal gek. Hij begon in de sneeuw te pikken en rond te rennen om sneeuwvlokken uit de lucht te happen. De afdrukken van zijn kleine eendenpootjes in de sneeuw zagen er toch zóóó schattig uit.

Freds en ik keken even toe terwijl hij als een gek in het rond rende en toen keken we elkaar aan. En toen kuste Freds me. Eerst op mijn voorhoofd en toen op mijn neus.

En toen, net op het moment dat ik bang was (of hoopte?) dat hij me op mijn lippen zou kussen, zei hij: 'Ik ga in de paasvakantie naar Amerika.'

'Cool. Ik ook,' zei ik. Ik bedoel, ik woon in Amerika en Bob en Sarah zouden dan met me mee teruggaan. Freds wist dat natuurlijk allemaal al. Freds wist alles.

'Ik maak een rondreis met mijn oma en mijn ouders.'

'Stel je voor,' antwoordde ik. Ik weet het, ik weet het! Ik kan er zelf ook niet over uit dat ik dat zei. De geest van mijn eigen oma zal wel door mijn hersenen hebben gewaard.

Maar Freds werd blijkbaar totaal niet van de wijs gebracht door die belachelijke, ouderwetse uitdrukking van me. 'Jaaa, dus zie je, ik weet dat ik heb gezegd dat het triest was om vrienden te willen blijven, maar... ik vroeg me af of ik jou daar misschien zou kunnen zien?'

'Waar?' vroeg ik, want ik stond mezelf nog steeds inwendig voor mijn kop te slaan vanwege dat 'stel je voor'.

Ik deed mijn ogen dicht om mijn gedachten te verzamelen, en toen deed hij het. Op dat moment kuste hij me echt, op mijn mond, met zijn lippen. Maar hoewel het heel erg *tranquillo* en *fantastico* en *molto* heerlijk was, trok ik mijn hoofd terug.

En toen ging mijn telefoon. Het was Malcolm, en mijn hart sloeg een slag over. Niet omdat Freds had geprobeerd me te versieren, maar omdat ik besefte dat ik Malcolm liever wilde zien dan wie ook ter wereld. 'Het is Malcolm,' fluisterde ik tegen Freds, terwijl ik de groene knop indrukte.

'Zin om zo naar het Vrijersbosje te komen?' vroeg Malcolm. 'Kun je me weer dumpen.'

Ik giechelde. 'Prima, dan neem ik Rex mee. Zeg het maar als je er bijna bent,' zei ik. Ik popelde om hem te zien.

'Ik ben er nu al bijna,' zei hij. 'Ik kruip net door het gat in het hek.'

'Nou, schiet dan maar op, want ik ben er ook al. Freds ook trouwens,' zei ik, want ik wilde geen stiekem gedoe tussen ons. Niet alleen had ik geen zin om Malcolm voor te liegen, maar hij was ook iemand bij wie ik helemaal eerlijk en mezelf kon zijn.

'Cool,' antwoordde hij opgewekt. 'Zie je zo.'

Freddie keek me daarentegen aan met zijn bekende, teleurgestelde blik.

Ik stak mijn tong naar hem uit en toen – schrik, gróte schrik – stak ZKH zijn tong uit naar míj!

'Sorry,' zei Freds, terwijl hij met zijn lange, smalle vingers door zijn haar streek. 'Sorry van die zoen. Dat was niet de bedoeling.'

'Geeft niet,' zei ik zacht, terwijl ik me opeens weer waanzinnig bewust was van zijn lekkere citroengeurtje. 'Maar het is gewoon niet goed. Niet nu,' voegde ik er heel volwassen aan toe, hoewel alles in me schreeuwde: 'KUS HEM NOG EEN LAATSTE KEER! HIJ IS DE PRINS, GEKKIE!'

O, shitterdeshit, net nu ik dacht te weten wat ik voelde en voor wíé ik het voelde.

Prinsen! Je kunt er niet mee leven, maar aan de andere kant: kun je ze wel echt missen?

Termen uit het schermen

Aanval *au fer*: een aanval die wordt voorbereid door de kling van de tegenstander af te ketsen.

Dégagé: een manier om na een parade van de tegenstander de aanval voort te zetten.

Degen: een van de drie schermwapens.

Floret: een van de drie schermwapens.

Loper: een veertien meter lange strook waarop een schermpartij plaatsvindt.

Parade of wering: defensieve handeling, blokkade.

Partij: een enkel gevecht; duurt ongeveer zes minuten.

Poule: een groep waarin schermers tijdens kwalificatiewedstrijden worden ingedeeld.

Riposteren: een tegenaanval inzetten, direct nadat je een aanval van de tegenstander hebt gepareerd.

Sabel: het enige slag- en steekwapen in de schermsport. Punten worden gescoord door treffers met de top én de snijkant van de kling, maar het meeste met de snijkant. Het trefvlak bij schermen op sabel is alles boven de benen, inclusief het hoofd en de armen. Om deze reden worden alle treffers op het wapen, inclusief die op de beugel, geregistreerd, hoewel het treffen van de beugel niet is toegestaan. In tegenstelling tot de floret- of degenschermer is de sabreur dus met zijn hele uitrusting op de aanwijsapparatuur aangesloten. Voor de partij begint, controleren de sabreurs of de elektrische bedrading werkt. Dit doen ze door het masker, de sabel, de beugel en het metalen vest van hun tegenstander aan te tikken, zodat vaststaat dat alle treffers worden geregistreerd.

Schermgroet: vroeger een formele begroeting; nu een informele groet aan de tegenstander en de scheidsrechter aan het begin van de partij.

Selectie: proces waarbij schermers uit dezelfde poule tegen elkaar uitkomen, waarna op grond van de resultaten alleen de besten overblijven.

Stellinglijn: de lijn waarachter de schermers aan het begin van een partij of na een onderbroken partij de aanvalshouding aannemen.

Top: de punt van de kling van een schermwapen.

Trompement: actie om binding van de kling te voorkomen.

Wering vijf: wering waarbij de schermer het hoofd beschermt door de arm naar rechtsboven te bewegen.

Algemene woordenlijst

Blauwtje: blauw papier dat wordt gegeven om strafregels op te schrijven; lichte straf.

BOG: Bestraffing voor Onbetamelijk Gedrag; een straf die wordt uitgedeeld voor zaken als graffiti spuiten, openbare dronkenschap en obsceen taalgebruik.

Burns Night: feest ter herdenking van Robert Burns, Schotlands favoriete dichter.

Coventry: iemand die naar Coventry wordt gestuurd, wordt doodgezwegen, uitgestoten.

Fébrèze: spray die wordt gebruikt om vieze luchtjes te verdrijven.

GCSE: een landelijk examen.

Glasgow-kiss: kopstoot, met name tegen de neus.

House of Lords: Britse Hogerhuis.

Huismoeder: vrouwelijk hoofd van een kostschool; wij noemen haar 'huisloeder'.

It Girl: societymeisje (meisje van rijke familie) dat erg in de belangstelling staat van de media.

Jaar (op kostschool): meisjes gaan vanaf hun elfde naar kostschool en komen dan in het zevende jaar. De jaren lopen op tot het elfde jaar (leeftijd vijftien/zestien jaar). De laatste twee jaar worden Lower Sixth en Upper Sixth genoemd (leeftijd zestien/zeventien en zeventien/achttien jaar).

Jelly Babies: zachte, felgekleurde snoepjes in de vorm van baby's.

Kiltland: Schotland.

Old Chokey: een gevangenis.

Pepperspray: bijtende spray die als verdedigingsmiddel wordt gebruikt.

Sloane: bekakt, overdreven chic (genoemd naar Sloane Street en Sloane Square, in een welgesteld, trendy deel van Londen).

Soz: sorry.

Tory: aanhanger van de Britse conservatieve partij.

Trimester: een schooljaar bestaat uit drie perioden of trimesters. Het wintertrimester is vóór de kerst, het voorjaarstrimester is tussen Kerstmis en Pasen en het zomertrimester is tussen Pasen en de zomervakantie.

Dankwoord

Allereerst een daverend applaus voor de beeldschone, waanzinnig begaafde meisjes van het Saint Mary's Ascot, het Cheltenham Ladies College, het Bennerz en de absolute schoonheden van mijn geliefde Eton! Eigenlijk verdient de hele kostschoolgemeenschap onze diepe waardering! Ik hoop dat jullie leraren en leraressen, schoolhoofden, directrices en huismoeders jullie iedere dag toejuichen, want op een dag zijn jullie in de positie om blauwtjes uit te delen! Over straffen gesproken, het zou voor mij een vreselijke straf zijn de vriendschap te moeten missen van Malcolm William Young. Sterker nog, als hij er nog niet was, zou ik hem zelf moeten bedenken.

Ik heb ontzettend geboft met een agente als Laura Dail en een redactrice als Melanie Cecka bij Bloomsbury USA. Ik ben me daar enorm van bewust! Iedere dag voer ik ter ere van hen een krankzinnig rondedansje uit. Tot nog toe heeft alleen mijn familie daar iets van gezien. Zij raden me sterk aan nog een paar duizend jaar te wachten voor ik een groter publiek aan mijn danskunsten blootstel. Tot die dag groet ik jullie in het Latijn: *Salve*!

Maar de lauwerkransen en de diepste woorden van waardering gaan naar de meisjes die mijn boeken lezen, vooral naar degenen die schrijven naar askcalypso@calypsochronicles.com. Serieus, als jullie later niet jullie naam in lichtgevende letters boven Times Square zien staan, begin ik alsnog een danscarrière!

Lees ook de andere boeken over Calypso:

Hoe versier ik een prins?

De 14-jarige Calypso behoort niet tot de populaire kliek op haar Engelse school. Vanaf de eerste dag hebben de schatrijke meiden Calypso niet geaccepteerd vanwege haar Amerikaanse accent en haar vreemde hobby schermen. Calypso vraagt zich dan ook verwoed af waarom ze door haar ouders in vredesnaam naar het Sint-Augustinus is gestuurd, een kostschool voor rijke en adellijke meisjes.

Maar dan gebeurt het: tijdens een schermwedstrijd moet ze het opnemen tegen de Engelse prins. En dat blijft niet zonder gevolgen: sinds die dag stuurt hij haar voortdurend sms'jes.

Opeens willen alle meiden haar vriendin zijn. Maar nu ze bereikt heeft waar ze al die tijd alleen maar van kon dromen, beginnen de problemen pas echt... zeker nu er een prins in het spel is.

ISBN 978 90 261 3120 2

Hoe verover ik een prins?

Tyne O'Connell

Hoe
verover
ik een
prins?

'Een van de grappigste tienerromans van de laatste tijd.'
Noordhollands Dagblad

Wanneer Calypso na de vakantie vol energie terug-
keert naar school – een exclusieve Engelse kostschool
voor steenrijke en adellijke meisjes – wordt haar snel
duidelijk dat dit jaar niet zal verlopen zoals ze zich had
voorgesteld. Zo blijkt niet haar beste vriendin Star
haar kamergenoot te zijn, maar Calypso's aartsvijand
Honey! Star deelt nu haar kamer met een oogverblin-
dende prinses uit Nigeria.

Ook haar spannende sms-romance met zowel
kroonprins Freddie als de knappe Billy bezorgt haar
buikpijn: met wie van de twee moet ze naar het gala?
Wat zal er gebeuren als ze ontdekken dat ze met twee
jongens sms't? En wat te denken van het gerucht dat
haar vriendin Portia achter haar rug om prins Freddie
heeft veroverd? Is Calypso straks de grote verliezer in
deze emotionele achtbaan?

ISBN 978 90 261 3190 5

Hoe weersta ik een prins?

Tyne O'Connell

Hoe weersta ik een prins?

'Het ultieme jeugdboek!'
Chicklit.nl over Hoe verover ik een prins?

Na drie jaar ellende heeft Calypso eindelijk haar plek gevonden tussen de steenrijke en adellijke meisjes van haar exclusieve kostschool. Calypso is stapelverliefd op de kroonprins van Engeland en hij op haar! Niets kan haar zelfvertrouwen nog aantasten, zelfs haar aartsvijand Honey niet...

Maar Calypso heeft geen rekening gehouden met haar ruziënde ouders. Wanneer haar hysterische moeder plotseling op school verschijnt om steun te zoeken bij haar dochter, ziet Calypso haar zorgvuldig opgebouwde reputatie in duigen vallen. Haar moeder maakt zowel zichzelf als Calypso belachelijk – en natuurlijk geniet de hele school mee!

Tot overmaat van ramp moet ze steeds haar afspraakjes met prins Freddie afzeggen, omdat haar moeder haar niet met rust laat.

Kan Calypso de schade die haar ouders op school veroorzaken nog herstellen?

ISBN 978 90 261 0126 7